Christopher Phillips, Ph.D.

O PODER DA BONDADE

Transforme a dor, a traição e o revés em amor, alegria e compaixão

2023

Título original: *Soul of Goodness*

O poder da bondade

1ª edição: Novembro 2023

Autor:
Christopher Phillips

Tradução:
Willians Glauber • Marcia Men • Caio Pereira

Preparação de texto:
Equipe Citadel

Revisão:
Patrícia Alves Santana • Paola Sabbag Caputo

Projeto gráfico e diagramação:
Manu Dourado

Capa:
Jéssica Wendy

DADOS INTERNACIONAIS DE CATALOGAÇÃO NA PUBLICAÇÃO (CIP)

Phillips, Christopher
O poder da bondade : transforme a dor, a traição e o revés em amor, alegria e compaixão / Christopher Phillips ; tradução de Willians Glauber, Marcia Men, Caio Pereira. — Porto Alegre : Citadel, 2023.
240 p.

ISBN 978-65-5047-197-2
Título original: Soul of goodness

1. Filosofia 2. Alma 3. Conduta de vida 4. Esperança 5. Phillips, Christopher, 1959- I. Título II. Glauber, Willians III. Men, Marcia IV. Pereira, Caio

22-6085 CDD 128.1

Angélica Ilacqua - Bibliotecária - CRB-8/7057

Produção editorial e distribuição:

contato@citadel.com.br
www.citadel.com.br

Para meus amores, Cecília, Cali e Cybele

Meu amado pai, Alexander Phillips

E meus irmãos leais, Cornel West e Dennis Dienst

"Existe certa alma de bondade nas coisas más que os homens poderiam destilar, caso prestassem atenção. Pois nossos vizinhos maus fazem de nós pessoas que acordam cedo, o que é saudável e útil; além do mais, eles também nos servem de consciência exterior e fazem o papel de pregadores que nos ensinam a nos vestir com justiça."

– William Shakespeare, *Henrique V*, Ato 4, Cena 1

"Sofrer infortúnios que a Esperança julga infinitos; perdoar ofensas mais sombrias do que a morte e a noite; desafiar o Poder que parece onipotente; amar e suportar; esperar até que a Esperança crie, de seus próprios destroços, aquilo a que ela contempla. Não mudar nem fraquejar nem se arrepender; Isto... é ser Bom, grande e jubiloso, belo e livre."

– Percy Bysshe Shelley, *Prometeu desacorrentado*

SUMÁRIO

SUMÁRIO

Nota: principalmente para propósitos de privacidade, alguns dos nomes das pessoas incluídas aqui foram mudados; e algumas histórias e linhas temporais foram um tanto alteradas ou misturadas.

PREFÁCIO

ESCRITO POR DR. CORNEL WEST

Christopher Phillips é a maior personificação do espírito socrático em nossos tempos catastróficos. Seu movimento popular global de Sócrates Cafés e Cafés Democracia transformou a vida de milhões de pessoas em todos os continentes da Terra. Seus livros sábios e brilhantes tocaram as mentes e almas de muitos de nós. E seu estilo emotivo e sua compaixão genuína enriqueceram as vidas de todos nós, afortunados o bastante. Quando os historiadores escrevem sobre o belo e o feio em nossa era turbulenta, as palavras, as obras e os feitos socráticos de meu queridíssimo irmão Christopher Phillips deveriam assomar, gigante.

No entanto, como Philip Christoforos Philipou veio a ser a figura humilde e imponente tão amada e respeitada pelo mundo todo? Este livro poderosamente pessoal e profundamente filosófico é um autoinventário histórico doloroso, embora alegre, dos bastidores de sua vida exemplar. Este texto franco desnuda as realidades cruas e visões refinadas de sua jornada corajosa em busca da "alma saudável" de Platão e da "alma da bondade" de Shakespeare. Assim como a reformulação de Ésquilo feita por Percy Shelley em *Prometeu acorrentado,* Christopher Phillips nos leva em seu próprio caminho do filósofo para "ser bom, grande, alegre, belo e livre".

A amada avó de Christopher Phillips, Calliope Kavazarakis Philipou – sua *yaya* e leitora atenta de grandes textos gregos – lhe dá os *Diálogos* socráticos de Platão como presente de aniversário e amorosamente diz: "Você é que será como o protagonista dele, Sócrates". Este pronunciamento profético soa verdadeiro, como o Oráculo de Delfo de "Conhece a ti mesmo" para Sócrates. Do vilarejo de Mandraki, na ilha de Nísiros, no mar Egeu, até as cidades de Newport News, Virgínia, e Tampa, Flórida, a peregrinação de Christopher se cristalizará numa luta manchada de lágrimas e sangue para carregar "a tocha socrática". A morte misteriosa de seu amado pai e o amor magnânimo de sua magnífica esposa estão no centro dinâmico dessa luta cheia de ânimo e conduzida pela missão. Para Phillips, vale a pena morrer pela vida examinada, e a vida comprometida rende alegrias inefáveis. Para falar sem rodeios, a dança afro-cubana alegre e majestosa de Christopher e Ceci (sua esposa, enviada dos céus) ao som de "Acid", de Ray Barreto, me comoveu até as lágrimas.

Como os Peregrinos de Chaucer e de Dante, Phillips incorpora e exemplifica a tristeza da perda e da traição, mágoa e luto, junto com a alegria e a compaixão. Como Hermes, Phillips nos ajuda a aprender como ver, sentir e agir com mais humanidade e compaixão durante suas muitas viagens ao redor do mundo. Sua experiência sincera com a frágil Melinda e a vigorosa Keshia cortam fundo. Suas explorações multiculturais sobre o *Batsil Winic* (humano verdadeiro), o *Ningen* (entrepessoas) e o *Ubuntu* (eu estou em você e você está em mim) dos mundos de povos indígenas, japoneses e africanos revelam o espírito socrático no que ele tem de melhor. Um de meus momentos favoritos é seu envolvimento com *Saudade* (luto irremediável e alegria irreprimível). Suas relações com Duende e o blues vem à mente.

Em resumo, esse diamante textual do coração, da mente, da alma e do corpo é um banquete intelectual e uma canção de blues existencial daquele que decidiu ser fiel a sua vocação socrática sagrada e se esvaziar de seus dons divinos e humanos nas ruas abertas do mundo para enriquecer as vidas preciosas de todos nós. Como sou abençoado por ter um Irmão tão sublime em minha vida!

– Cornel West

PRÓLOGO

O MURO

Hamlet entendeu errado. O dilema da vida não é "ser ou não ser". É "ser e não ser". Esta é a questão e a resposta.

Hamlet foi o último a prantear a morte trágica de seu pai. Todos os outros que afirmavam amar e lamentar o rei assassinado já a haviam superado e seguido adiante. Eu sou o último a prantear a morte trágica de meu próprio pai. Jamais superarei isso, embora tenha seguido adiante, mesmo quando o tempo pareceu ter quase parado.

Ao contrário de Hamlet, eu não planejei nenhuma vingança. Meu pai não desejaria que eu fizesse isso. Eu não desejaria isso. Pretendo, sim, remediar certas situações, mas não cometendo ainda mais erros. Devo isso a meu pai. Mais do que qualquer pessoa, ele foi a força e a inspiração que tornou possível - mesmo quando discordava de minhas escolhas - que eu assumisse atividades acadêmicas e profissionais que, ao longo do tempo, me levaram a descobrir o suficiente sobre quem sou, no meu cerne, para dedicar minha vida ao Sócrates Café. Um fenômeno global e movimento popular, tudo numa coisa só. Eu lancei o Sócrates Café há um quarto de século como a contribuição modesta, porém ambiciosa, de uma pessoa para fazer do nosso mundo um lugar mais amável e habitável - neste caso, por meio de um tipo de investigação tão rigorosa e metódica quanto imaginativa e até caprichosa, às vezes tão extasiante quanto perturbadora, iluminadora, mesmo que às vezes turve um pouco as coisas. Um tipo de investigação sobre perguntas oportunas e atemporais - "Onde está o amor?", "Como sabemos quando estamos levando uma vida honrada?", "Por que deveríamos buscar aprimorar a nós mesmos?" - da qual ninguém emerge ileso, e a maioria de quem se envolve nela se sente mais "conectado" em diversos sentidos. Eu já fui bem-sucedido e fracassei para além de minhas imaginações mais selvagens.

Estou empoleirado em cima de uma seção do agrupamento de muralhas de séculos atrás na antiga acrópole conhecida como Paleokastro, a joia da coroa e outrora elemento central da diminuta ilha de Nísiros. Parte da cadeia de ilhas insulares do Dodecaneso (as "Doze"), no sul do Mar Egeu, esta é a ilha de onde meus avós imigraram para os Estados Unidos – não uma vez, mas duas.

As ruínas notáveis no cume dessa ilha no sudeste egeu – um dos vários grupos de ilhas que incluem as Cíclades, as Sarônicas, a Ilha do Norte Egeu, as Espórades e Creta – continuam figurando entre os segredos arqueológicos mais bem guardados. O mar em torno é de um azul impossível no momento, embora esteja sujeito a mudanças de cor sem aviso conforme os sistemas climáticos se empurram e disputam de todas as direções.

A pequena ilha vulcânica com população durante o ano todo abaixo de mil pessoas tem quatro vilarejos. A família de meu pai vem do principal dentre eles, Mandraki, onde estou me hospedando numa pousada de propriedade de parentes. Enquanto abria caminho do vilarejo para a acrópole antiga, passei pelas ágoras imaculadas, praças públicas onde até hoje as pessoas negociam mercadorias além de trocar ideias e ideais, como faziam na época de Sócrates. As ágoras são tão bem conservadas e de um branco ofuscante quanto os lares ao redor, todos feitos em parte de rochas vulcânicas e isolados com pedra-pomes. Uma vez fora do vilarejo, caminhei por ruas estreitas de pedra e trilhas de terra que se enredam, serpeantes, por cima e por entre colinas e vales antes da subida íngreme para a acrópole, situada no ponto mais elevado – o caminho exato que eu e meu pai planejamos por muito tempo fazer juntos.

Subi perdido em pensamentos na maioria do tempo. No entanto, isso deixou ainda mais arrebatador cada vez que eu saía de meu devaneio: os terraços pintalgados de cores vivas pelos quais passei pelo caminho, apresentando uma variedade de figos, azeitonas, amêndoas, alfarrobas, figo da Índia, cactos em flor. Meia hora depois, estou na acrópole. Assim que alcanço o platô, as muralhas massivas e imponentes da acrópole podem ser vistas por completo. Elas devem ter parecido muito proibitivas para quem pretendia sitiá-las naquela época. Um prodígio de arquitetura e concepção, as muralhas paralelas, interna e externa, são construídas de tal forma que é quase impossível encontrar uma vulnerabilidade através da qual se possa penetrar a pedra de tom avermelhado cortada com precisão.

Na acrópole, eu me sento em uma das muralhas altas e largas de rocha indestrutível. A seção da parede em que me planto contorna o ápice das ruínas como uma coroa de pedra. As paredes engenhosamente entrecruzadas que protegiam o antigo forte continuam em condições pristinas o bastante para servir a seu propósito original numa emergência. Por que tais muralhas foram necessárias, sem mencionar um conjunto intrincado de postos avançados distantes para enviar sinais por meio de fumaça e fogo, projetados para oferecer comunicações rápidas? Certamente isso demonstra o fato de que essa ilha vulcânica diminuta e arredondada desempenhou um papel desproporcional no infame e longo conflito do século V, a Guerra do Peloponeso. Uma aliada de conveniência, Nísiro não foi uma espectadora inocente na guerra das guerras que levou à queda da pólis ateniense e da Grécia como um todo como a protagonista em questões mais seculares e sobrenaturais.

Com uma superfície total de apenas 41 quilômetros, o litoral da ilha, rochoso em sua maior parte, mede 28 quilômetros no total. É possível chegar a Nísiro por uma viagem langorosa de balsa que leva metade do dia (minha opção), vindo da cidade continental de Pireu, ou por barco, vindo de uma das duas ilhas mais próximas, Cós ou Rodes, que têm aeroportos pequenos com voos diários indo e voltando de Atenas durante boa parte do ano. Se podemos acreditar na mitologia grega, a ilha em si surgiu como resultado de um ato violento e vingativo. Diz-se que, antigamente, Nísiros fazia parte de Cós, uma ilha maior. Ela ganhou sua independência depois de uma luta até o fim travada entre dois titãs, Polibotes e Poseidon. Quando o gigantesco Polibotes percebeu que encontrara um adversário à altura no deus olimpiano, bateu em retirada acelerada. Um Poseidon furioso, impossibilitado de perseguir o titã de pés ligeiros, quebrou um pedaço de Cós com seu tridente e o arremessou em Polibotes. A mira de Poseidon foi infalível: Polibotes afundou sob o peso do projétil. Diz-se que ele está enterrado até hoje debaixo daquilo que desde então é Nísiro, a ilha vulcão. O mais jovem dos seis vulcões ainda ativos da Grécia (outros quatro estão extintos), ele ainda exibe sinais esporádicos, mas inconfundíveis de vida, embora suas erupções completas (três delas) tenham ocorrido no final do século XIX. Sempre que o vulcão ameaça ganhar vida em grande escala, diz-se que Polibotes está gemendo num esforço sisifeano para se espremer e revirar até dar um jeito de sair de debaixo da ilha.

Já visitei Nísiro várias vezes em minha mente. Em meus anos de juventude, eu era transportado para lá sempre que me debruçava sobre uma vasta coleção de livros, fotografias, até mesmo filmagens que compilei sobre a ilha – mas, acima de tudo, pelas histórias com que meu Tio Dimitrios, ou Jimmy, me regalava. Ele não poupava palavras em suas histórias pitorescas e vívidas de nossa família imediata e estendida natural de Nísiro, uma mistura de santos e pecadores, benfeitores e malfeitores, com frequência tudo junto numa coisa só.

Esta é a primeira vez que eu estive fisicamente em terra firme. Apesar de ter visitado Atenas e outras partes da Grécia continental durante minhas peregrinações socráticas ao longo dos anos, elas sempre ocorriam em circunstâncias e épocas do ano em que uma viagem a Nísiro continuava fora do alcance. Eu e meu pai há muito conspiramos nos aventurar para lá juntos depois que ele se aposentou, em 1999. Durante uma reunião inesquecível com meu pai na primavera de 2011, nós lançamos os alicerces detalhados para nossa viagem. Finalmente, ela ia acontecer.

Não era para ser. Em meados de setembro daquele ano, a vida de meu pai terminou. Eu nunca fui informado sobre a morte dele (ou sequer sobre seu declínio) por aqueles que estavam com ele em seus últimos dias. Quando falei com um deles, as justificativas oferecidas me fizeram gelar o sangue. Uma rede de mentiras se transformava em outra sempre que eram pegos numa contradição gritante. Não me foram oferecidas condolências. Pelo contrário. O mais horripilante foi a total ausência de emoção – ou melhor, se alguma emoção foi transmitida, foi um prazer maldoso, até mesmo humor.

O que se revelaria uma cadeia aterrorizante de eventos começou de fato a se desdobrar cerca de um ano após a morte de meu pai, embora eu só fosse compreender isso totalmente depois do seu funeral; eles causaram dor, estresse e sofrimento tremendos – para ninguém mais do que para meu pai – e, na época de sua morte e desde então, continuaram a produzir danos e prejuízos. As promessas, confidências e os votos de confiança mais sagrados foram rompidos, para os objetivos mais torpes. Eles não me deram muita escolha além de abrir os olhos e ver o que há muito tempo estava na minha cara, mas que eu, assim como meu pai, não tinha enxergado.

De repente, da boca do vulcão ativo da ilha – é possível entrar de fato e passear por suas crateras hipotermais transcendentes –, o vento manda em minha direção um sopro revigorante de seu enxofre borbulhante. Quando ele entrará em erupção outra vez? É uma pequena digressão destacar que até hoje os cientistas não conseguem prever com qualquer grau de precisão quando um vulcão entrará em erupção. Mesmo com satélites globais a disposição para monitorar vulcões ativos, e apesar de estarem armados no solo com intrincadas redes de instrumentos de detecção com tecnologia de ponta, eles não têm nenhuma ideia de quando um dos vulcões vai despertar de seu sono. Observadores profissionais de vulcões continuam relegados a emitir palpites à moda antiga, examinando o gás expelido pelo vulcão e procurando por deformações na superfície. No entanto, como não podem perfurar a rocha e o solo vulcânicos em si, eles têm pouca ou nenhuma noção de se o tipo específico de magma que leva a erupções pode estar se elevando para a superfície de um vulcão, muito menos estabelecer um cronograma. E mais: vulcões adormecidos com frequência são o retrato da quietude e do sossego até que, com pouquíssimo aviso (se é que vem algum), chega o momento em que, de maneira quântica, eles entram em erupção com uma força destrutiva atordoante.

Da mesma forma, um certo tipo de ser humano pode, por anos a fio, fervilhar de fúria por dentro, e isso passar completamente despercebido, escondendo sua ira por trás de uma cortina pétrea de astúcia, falsidade e, acima de tudo, charme. E então, sem aviso algum, alguém assim pode perder a cabeça. Alguns meses antes de sua morte, meu pai compartilhou comigo que ele tinha colocado sob sua proteção alguém que ele resgatara de uma encrenca atrás da outra. Quando meu pai, mais uma vez, livrou essa pessoa, ele relatou que passou um sermão sobre a cobiça imoral de tapear pessoas inocentes a gastar seu suado dinheiro em golpes e esquemas para enriquecer rapidamente. Meu pai disse-me que, de súbito, sem o menor alerta, essa pessoa explodiu para cima dele. A erupção foi contida apenas quando, com mãos trêmulas, meu pai disse ter conseguido abrir seu celular dobrável e ameaçou chamar a polícia. Eu não fiz nada com o que meu pai me contou, assim como ele não tomou precauções para ficar mais protegido. Na época, não vimos o que era aquilo, apesar de, em retrospecto, haver sinais evidentes de deterioração impulsionada pela raiva, mesmo na superfície. Assim como nos vulcões físicos, erupções podem acontecer com rapidez e destrutividade inesperadas. Depois que elas passam, você se convence que aquilo é o final. Entretanto, qualquer um que já tenha estudado qualquer tipo de vulcão sabe que eles podem entrar em erupção de muitas formas, e que a espetacular explosão inicial pode ser seguida por uma série de explosões "mais silenciosas" que, ainda assim, causam muito mais danos – e ai daqueles que estiverem na outra ponta.

Eu falei com meu pai por telefone vários dias antes de a vida dele terminar. Pelo tom e o tremor de sua voz, e pelo que ele disse – e pelo que deixou de dizer –, ele parecia assustado e resignado. Eu lhe disse que largaria tudo o que tinha agendado – eu estava no meio de uma turnê intensiva e uma série de apresentações de lançamento para um livro – e iria para lá na mesma hora. Galante ao extremo, meu pai disse então, numa voz mais forte e que soava mais como ele mesmo, que eu precisava manter meus compromissos. "Eu vou ficar bem. Você tem uma família nova para sustentar", disse ele. "Venha me ver daqui a umas duas semanas."

"Eu amo você", falei.

"Eu amo *você*", ele disse. Era assim que meu pai sempre respondia, eu amo *você,* sempre que eu era o primeiro a falar essas três palavras: eu amo *você*.

Aquelas foram as últimas palavras que trocamos. Eu as valorizo desmesuradamente.

E logo em seguida, meu pai estava morto. Segundo relatos de partir o coração, compartilhados comigo desde então por vários daqueles mais próximos dele, eles temem que meu pai talvez estivesse pior do que sozinho durante seus últimos dias, quando estava em seu ponto mais frágil e vulnerável. Mal consigo escrever isso.

O muro que conecta

Minha vida toda, estivesse eu enraizado em um lugar só por períodos longos, como estive em minha juventude, ou vivendo como uma pedra que rola, como estive na maior parte de minha vida adulta (mesmo às vezes depois de ter me casado e constituído família), eu nunca me senti inteiramente em casa, nunca senti que me encaixava – *atopos,* é como os gregos antigos chamavam essa sensação. Aqui nesta ilha, finalmente, eu tinha chegado. Em casa, finalmente. Eu me encaixo. Embora um número incalculável de pessoas tenha ocupado o lugar em que me encontro agora, nessa muralha na acrópole, posso dizer com certeza que, neste instante, ela pertence a mim. Esta é a minha muralha. Meu espaço. Esta é, para mim, uma recepção digna da Odisseia às praias rochosas de uma ilha grega após um longo naufrágio existencial.

Sou um com o grande e o não tão grande esquema das coisas, de um jeito que nunca tinha vivenciado antes. Estou em casa com um pé em cada reino, com a fragilidade do tempo e do espaço. Aqui, finalmente, tenho uma sensação de lugar, e de me encaixar interna e externamente. Não sei dizer se isso me trouxe paz, mas não estou mais tão à deriva, tão turbulento por dentro. Agora eu sei o que é estar ancorado e solto, ambos ao mesmo tempo, como um trapezista existencial.

Eu existo no tempo marítimo agora.

Cercado pelo Egeu, as águas que golpeiam a costa são mais ou menos iguais. Existe um ar de imutabilidade, de partida e retorno infinitos. Certamente um dia se descobrirá que o tempo tem tanto progresso quanto regresso infinitos. Uma das versões mais antigas em inglês da frase "o tempo e a maré não esperam por ninguém", do século XIII, diz que: "a maré não permanece, não tarda por homem algum, continua por homem algum". Geoffrey Chaucer escreveu em seu prólogo a *The Clerk's Tale* ("O conto do escriturário", em tradução livre), publicado em 1395: "Pois embora nós durmamos, ou acordemos, ou vaguemos, ou cavalguemos, o tempo voará; ele não para para ninguém". Em sua iteração inicial, *maré* (tide) referia-se ao meio do dia, ou meio-dia. Entretanto, ela ainda tinha a ver com a *maré* das águas, com como nós, humanos, somos inexoravelmente presos tanto à passagem do tempo quanto ao movimento das marés.

Muitas pessoas vivem como se tivessem todo o tempo do mundo. Mesmo quando finalmente se alcançar o santo graal – será mais cedo, e não mais tarde, pode escrever o que eu digo – que impeça nossas células de envelhecer, um desdobramento que estenderá vastamente a vida de tantos membros da minha espécie, especialmente os mais abastados, tudo o que isso pode pressagiar é que a maioria das pessoas terá ainda mais anos para desperdiçar.

Nascido e criado junto ao grande e extenso rio Warwick, na Virgínia, passei horas incontáveis junto a ele, flutuando nele no barco de nossa família – pescando, catando caranguejos, conversando com os deuses, fugindo da turbulência familiar, contemplando. Eu estava muito ciente, mesmo naquela época, que entre os fragmentos de escritos do filósofo pré-socrático Heráclito que haviam sido descobertos, estava isso: "Ninguém entra no mesmo rio duas vezes, pois o rio não é o mesmo rio, e a pessoa não é a mesma pessoa". No caso do mar, contudo, você entra nele duas, três vezes, ao infinito. Ele é essencialmente o mesmo, e essencialmente não o mesmo – fluxo e refluxo, evolução e involução, ascensão e queda, uma abordagem e um recuo.

Eu sou fascinado pelos píncaros e profundezas e amplitude de sentimentos e emoções e pensamentos que me percorriam desde que a vida do meu pai terminou de um jeito que tornou impossível para nós fazer nossas despedidas. Fascinado não de maneira narcisista ou mórbida, mas pelo puro choque humilhante do que aconteceu com meu pai e as represálias fulminantes às quais eu fora sujeito desde então.

Ao descobrir sobre a morte trágica de meu pai de uma maneira para lá de abissal e humilhante, eu fiquei em choque. Fui pego desprevenido, despreparado e mal equipado para lidar com a subsequente ofensiva de maquinações às quais fui sujeito.

Ou foi o que eu pensei.

Na esteira da morte de meu pai, a despeito do sofrimento às vezes esmagador, eu fui nomeado como o primeiro membro educacional sênior do aclamado National Constitution Center, fui nomeado *fellow* na cátedra de ética da universidade de Harvard, recebi o Distinguished American Leadership Award, escrevi várias novas obras filosóficas para adultos e crianças, fui nomeado pesquisador e membro escritor em outra universidade da Ivy League, estabeleci uma nova iniciativa global chamada de Café Democracia, que uniu pessoas do mundo todo para explorar e tomar ações concretas para alcançar pessoas e sociedades mais abertas em várias escalas – e o melhor, eu me tornei pai outra vez, de um verdadeiro pacotinho de empatia e alegria, Cybele (que recebeu este nome em homenagem à deusa grega da natureza e da cura).

Apesar de toda a tristeza, desde então eu vim a descobrir que sou feito de um material mais forte e resistente do que eu pensava. Atribuo isso em grande parte a meu "espírito socrático". As sementes desse espírito foram plantadas pela insistência intimidante e inspiradora da mãe dele, minha *Yaya*, minha avó grega, Calliope

Kavazarakis Philipou. Ela me iniciou num mundo de obras escritas por Sófocles, Ésquilo, Homero, Eurípides e, principalmente, Platão.

Minha *Yaya* foi a primeira professora-empreendedora independente de linguagem e cultura grega na região de Tampa Bay. Ela abriu seu próprio negócio depois que ela, o marido – meu xará, Philip (Philip Dimitrios Philipou) – e os seus três filhos se assentaram em Tampa, em 1935. Minhas férias de verão eram passadas lá, com frequência debaixo das asas dela, a avó Helicóptero e Tigre original. Eles eram a coisa mais distante das pausas de verão mais prazerosas (certamente menos estudiosas) desfrutadas pelos pares que eu deixava para trás na Virgínia. Para mim, essas temporadas longe dos corredores sagrados eram ocasiões para ser educado de maneira extensiva e intensiva por minha *Yaya*, uma helenófila para acabar com qualquer helenófilo.

Seu presente de aniversário para mim num ano de juventude, um exemplar lindamente encadernado dos *Diálogos* socráticos de Platão, não foi sem motivo; foi um pretexto para seu neto mais novo se debruçar, primordialmente, sobre a *Apologia* de Platão. Ela beliscou minha bochecha com força amorosa e dolorosa quando me entregou o presente. "Você é que será igual ao protagonista dele, Sócrates", disse ela. Como *Yaya* podia ter tanta certeza? No final, nenhuma obra literária, fosse de ficção ou não ficção, poesia ou drama, me emocionou tanto quanto o Sócrates da *Apologia* de Platão. Ali estava um humano que fez as coisas a seu modo, ao longo de dias de glória e, mais ainda, dias de opróbrio e culpabilização, tudo em nome de imaginar um tipo de vida excelente mais nobre para todos e para cada um.

Eu, claro, fiquei comovido na *Apologia* pelo que é amplamente considerada a declaração mais memorável de Sócrates, a de que "a vida sem reflexão não vale a pena ser vivida". Por outro lado, isso parecia óbvio – que criança da minha idade naquela época não tinha em seu DNA o desejo de refletir sem parar a vida em todas as suas dimensões? O que mais me abalou naquele drama da vida real de Platão capturar as horas finais de Sócrates foi a insistência do septuagenário com aqueles presentes a seu lado no final que eles deveriam "entender que eu jamais alterarei meus modos, nem que tenha que morrer muitas vezes". Sócrates estava afirmando muito mais do que o celebrado lugar-comum de que a vida sem reflexão não vale a pena ser vivida. Sua declaração revolucionária era: vale a pena morrer pela vida com reflexão.

Contemplem um ser humano, empacotado na embalagem externa feia de um homem com focinho de pug, uma barba suja, gosto questionável em roupas e algumas peças íntimas. Um ser humano que não aceitava ser detido ou desviado de sua busca por discernimento honesto sobre como atingir a excelência humana em todas as suas dimensões. Um homem cheio de uma alegria que emerge do outro lado da agonia, da traição, do desespero.

Como ele podia ser tão livre de ressentimentos? O mais próximo que Sócrates chegou de lamentar a injustiça obscena da orquestração de sua sentença de morte foi imediatamente antes de tirar a própria vida: "Em outro mundo, eles não condenam um homem à morte por fazer perguntas; certamente que não". Mesmo isso foi sem amargura ou autopiedade do tipo sentimental exibido por Jó, do Antigo Testamento. Em vez de perguntar "Por que eu?" com um tom de *pobre de mim*, como Jó, Sócrates parou em: "Por que não eu?". Neste espírito, ele estava determinado, mesmo (especialmente) na iminência de acabar com a própria vida, a traçar novos princípios para aqueles que deixava para trás.

Sócrates era genuíno, uma força invencível da natureza humana. Ele não era *mais que humano,* mas, sim, um exemplo vivo de como fazer para viver e morrer de uma maneira que sirva como farol, assim como fábula de alerta, do pouco com que a maioria de nós, humanos, nos conformamos.

Ele era o espírito personificado – não num sentido espiritual (um termo que veio a significar tantas coisas a ponto de não ter quase significado algum), mas espirituoso, animado, do tipo que o conceito grego helênico de *arete* humano, a que o erudito grego H. D. F. Kitto se referiu como a jornada infinita para se tornar um excelente faz-tudo, é produzido e imaginado. Nada conseguia quebrar aquele homem. Como alvo dos atos mais repugnantes, ele redobrou seus esforços para fazer o que pudesse enquanto ainda podia para curar Atenas – não como proselitista ou um messias, mas como um questionador intrépido determinado a descobrir ainda mais sobre a "vida do deveria". Ele não fez isso como um racionalista puro e extremista, mas como alguém com uma dimensão poética resoluta, até com um tom de loucura e doses sadias de embriaguez, todos esses ingredientes para imaginar e experimentar novas possibilidades para a vida e o viver.

Na verdade, Sócrates foi uma constelação de espíritos. Da mesma forma que a Virtude é composta de virtudes, o filósofo do século V a.C. é o Espírito, composto por espíritos. Nos últimos anos de minha infância, imergindo-me nos diálogos de Platão e também tentando liderar tais diálogos eu mesmo – com minha família, amigos, na escola, como outra forma de comungar com Sócrates (e comigo mesmo) –, comecei a ver o questionador antigo como uma concatenação viva de espíritos. Em todos os anos desde então nos quais tentei carregar a tocha socrática, estou mais convencido do que nunca de que ele era um amálgama de *daimon, atopos, eudaimonia* e *sofrósine.* Tudo em nome de *arete* para alcançar um tipo mais alto de *sofia,* ou sabedoria – as quais não são espíritos em si, mas, sim, os resultados do que certos espíritos podem alcançar para o eu e para a sociedade (que é um tipo de eu) quando estão operando em seu melhor nível. E tudo isso somente pode ser realizado se você tem uma alma sadia, uma alma de bondade.

Eis aqui como descrevi minhas descobertas preliminares ou provisórias sobre a questão em 1971, certo verão em Tampa, Flórida, para onde eu fazia uma peregrinação forçada, mas muito compensadora vindo de minha cidade natal de Newport News, Virgínia, em todas as férias prolongadas da minha vida até os 18 anos. Naquele verão pré-adolescente de 1971, apresentei a *Yaya* um livreto. Encadernado com lã de tricô passada por três buracos feitos na margem esquerda, ele se intitulava *Os espíritos de Arete.* Ele tinha uma capa apresentando os espíritos de Sócrates num diagrama de Venn.

Dentro, eu escrevi em meu garrancho empolgado e inimitável:

– *Daimon* – a voz divina da consciência, reflexão, autoconsciência, bondade. "Você com frequência me ouviu falar de um oráculo ou sinal que vem até mim, e é a divindade... Este sinal eu tenho desde que era criança." – Sócrates, *Apologia* de Platão

– *Atopos* – o espírito de um peregrino arraigado em casa; apartado, porém conectado; deslocado, porém pertencente; desconhecido, porém familiar; maravilhoso e detestável. Agaton, em *Górgias,* de Platão: "Este é um costume de [Sócrates]: [...] ele se mantém à parte, onde quer que esteja."

– *Eudaimonia* – garante o desabrochar humano, o bem-estar, a prosperidade, a bênção. Espírito de alegria obtida por meio do sofrimento e da agonia, quando seu coração está em outra pessoa. "Aquele que vive bem" – pelo *arete* – "é abençoado, próspero e alegre." – Sócrates, na *República* de Platão, Livro 1.

– *Sofrósine* – espírito de uma mente e um corpo sãos e sadios (bons e justos). O maestro da orquestra do espírito. Ensina quando se conter e quando relaxar, quando fazer as coisas sozinho e quando buscar uma equipe. Sócrates, Livro 4 da *República: "Sofrósine* [...] se estende pelo todo, de cima a baixo, na escala toda, fazendo o mais fraco, o mais forte e todos no meio [...] entoarem juntos o mesmo cântico."

É o cântico de *arete*. Um canto de sereia com notas compostas de *sofia*, persuadindo você a levar uma vida fora do horário comum, marchando a seu próprio ritmo. Ele não leva a pessoa a se mover para atingir os objetivos relativamente diminutos da felicidade ou da vida boa – objetivos atribuídos erroneamente, comumente e escandalosamente ao próprio Sócrates –, levando a pessoa, em vez disso, a buscar o tipo de excelência e alegria encontrado do outro lado (ou mais provavelmente, ao lado) do sofrimento, da agonia e do desespero.

Os espíritos que Sócrates abrigava dentro de si enquanto se envolvia em investigações no mundo ao seu redor faziam dele uma força ímpar a se enfrentar em nome da compreensão, e ao mesmo tempo da expansão, das possibilidades para *arete* e a *sofia* entrelaçada com ele. Nem mesmo os golpes mais duros, os milhares de choques naturais e mais alguns que ocorreram com ele conseguiram o abater. Seu espírito era do tipo inquebrável.

Com Sócrates como meu guia inspirador, eu estava me preparando – sem saber naquela época tão antiga e por muito tempo depois dela – para o dia em que fizeram uma tentativa planejada, executada com intenção malévola, para abater o meu próprio espírito.

Naquela época, fiz minhas primeiras tentativas de uma investigação à la Sócrates. Uma delas foi uma pesquisa que fiz num jantar de Ação de Graças da família, pouco depois de uma discussão irromper. Minha mãe havia trabalhado o dia todo preparando uma refeição deliciosa e meu pai e meu irmão mais velho queriam encher o prato e ir comer na sala, colados no aparelho de TV, assistindo a um jogo de futebol americano da NFL. Mamãe estava chateada, e com razão. O Dia de Ação de Graças era sobre união, afinal de contas. Ela não recebeu a compreensão que seria de se esperar. Uma discussão – nunca um diálogo, sempre discussão – seguiu-se. Eu soltei: "Por que a união familiar é importante?". Então me sentei na mesa com minha refeição, servida ao estilo bufê, e comecei a comer num silêncio pensativo. Todos os outros encheram seus pratos e se sentaram, um por um. A pergunta em si nos reuniu em torno da mesa e, por um breve período, desfrutamos da refeição de Ação de Graças na companhia uns dos outros. Mais tarde, comemos pipoca e jogamos Jeopardy na sala, enquanto o jogo de futebol americano passava na TV. Até perguntas propostas e não respondidas às vezes podem exercer certa magia.

Noutra ocasião, quando eu tinha mais ou menos 14 anos, no auge da dessegregação escolar, eu ia de ônibus todo dia às 6 da manhã para uma escola primária decrépita do outro lado da cidade, em Newport News. A tensão na escola entre alunos brancos e pretos vinha aumentando. Eu recentemente lera um livro sobre raça escrito pela antropóloga Ashely Montegu – se existia um tipo socrático, era ela! Alguém que desafiava a sabedoria aceita na época sobre questões de raça – que defendia o argumento de que o conceito de raça, para todos os intentos e propósitos, não existia sob a perspectiva biológica. Ocorreu-me que talvez fosse melhor para nós se acabássemos com raça como um conceito social também, considerando-se a forma como isso havia inflamado tanta raiva e violência racista desde tempos imemoriais. No refeitório da escola, certo dia, eu me sentei entre alunos pretos de um lado e alunos brancos do outro e perguntei: "Como seria um mundo sem raça?". Mais uma vez, a resposta foi silêncio. Em seguida, certo escárnio. Um cara branco intimidante jogou leite puro e leite achocolatado na minha bandeja e disse: "Meio que assim", antes de se afastar. O resto olhou para mim com expressões que pareciam transmitir: "Esse menininho é maluco, mas tem culhões". Um atleta preto popular finalmente entrou na conversa: "Tem um pouco desse 'mundo sem raça' no nosso time de futebol americano. Mas na minha família, não". Ele compartilhou que sua irmã estava saindo com um rapaz branco, e agora ninguém na família estava falando com ela. Um aluno branco então comentou que seus amigos negros expandiram os horizontes dele no que dizia respeito a coisas como música, comida e coisas assim. Ele pensou mais um pouco: "Mais que tudo, você simplesmente é influenciado por seja lá quem for que você passe tempo junto". Em seguida, disse: "Eu nunca penso em raça, honestamente. Meus pais nunca mencionaram isso. Eu tenho uma cultura, ou várias – minha família, meus amigos, os clubes dos quais faço parte, minha igreja. Eu queria que houvesse mais pessoas aqui nessa escola vindas de culturas diferentes, como havia quando eu morava na cidade de Nova York, assim como pessoas de raças diferentes". Não sei se eu cheguei a dizer alguma coisa depois de lançar a pergunta. O intervalo do almoço durava apenas 25 minutos. O mais incrível de tudo foi que alunos que normalmente não tinham nada a ver uns com os outros estavam conversando entre si sem ficarem tímidos demais por causa disso. Quando fiquei no corredor sozinho depois, naquela mesma tarde, o aluno branco intimidante que não queria nada com meu diálogo me emboscou e me disse que se algum dia eu "aprontasse uma dessas" de novo, ele quebraria o meu braço – e o torceu para trás dolorosamente, para mostrar que falava a sério. Quando ele me soltou, eu, humilhado e corado, dei meia-volta mais rápido do que imaginava e dei-lhe um soco no nariz com toda a força que tinha. O nariz dele jorrou sangue. Fiquei horrorizado e envergonhado. Pedi desculpas. "Você está bem?" Ele se desprendeu de mim e recuou, em vez de tentar reagir com outro soco. Ele foi até a enfermaria. Eu fui atrás dele, apesar de ele ficar tentando me espantar. Ele disse para a enfermeira que tinha escorregado. Nunca contou para ninguém o que realmente aconteceu e, por algum motivo, nunca tentou se vingar. Embora eu nunca tenha feito algo assim outra vez desde então, sei do que sou capaz. Assim como, num tom mais positivo, aquela experiência no intervalo em minha escola primária me fez perceber que eu era capaz, talvez, de orquestrar música filosófica.

Nietzsche escreveu em *O nascimento da tragédia* que Sócrates era o exemplo de uma pessoa imbuída com o espírito da *sofrósine:*

> Até os feitos éticos mais sublimes, as agitações da piedade, do autossacrifício, do heroísmo, daquele mar calmo da alma, tão difícil de atingir, que o grego apolíneo chamou de *sofrósine*, se derivaram da dialética do conhecimento por Sócrates e seus sucessores da mesma linha de pensamento chegando até o presente, e devidamente designados como ensináveis.

O que Sócrates conseguiu fazer, como Nietzsche destacou aqui (para variar, de maneira sutil), era "ensinável". Seus métodos e *ethos* de investigação filosófica, embora não fosse nada fácil, podiam ser praticados por quase qualquer um, em qualquer lugar, que estivesse disposto a tentar essa proeza de maneiras semelhantes para fins semelhantes, a seu próprio tempo e em seu próprio clima. Até onde sei, é a única forma de cultivar o espírito de Sócrates. Não se pode fazê-lo simplesmente estudando as obras dele de maneira acadêmica, embora isso, claro, pode ser um complemento e um ímpeto.

Para saber mais sobre *arete,* você precisa praticá-lo. *Arete* em ação é a prática rigorosa e incansável de investigar os caminhos da sabedoria de Sócrates. É como você desenvolve e fortifica o espírito socrático, o espírito de *arete,* de maneira similar a um ciclo de *feedback.* Não existem atalhos e não existe um destino de chegada. É como você esculpe a bondade e saúde da alma que pode suportar (ou tem mais chance de suportar) os extremos da vida.

Aqueles "sucessores da mesma linha de pensamento" que Nietzsche louva são os remanescentes que, desde a morte de

Sócrates e usando eles mesmos a investigação em igual veio que ele utilizava e para os mesmos objetivos, vivenciaram alturas (e profundezas) que só podem ser alcançadas ao cultivar e dominar por conta própria esses espíritos. "Qualquer um que tenha tido o prazer da percepção socrática [...] se espalhando em círculos sempre em expansão", escreve Nietzsche, está vivenciando "uma forma totalmente nova de 'contentamento grego' e afirmação abençoada da existência que busca descarregar a si mesma em ações". Você precisa ter a coragem para agir com base em suas percepções conquistadas a duras penas. Ao fazer isso, aquele maestro dos espíritos – *sofrósine,* também conhecida como "contentamento grego" – que conspira e colabora com os outros espíritos de *arete* é, por sua vez, mais moldado e formado. Isto leva a mais graça e generosidade nos modos e no espírito ao viver, superar e compreender, não importa o que lhe ocorra, nos piores momentos ainda mais do que nos melhores.

Muralha com olhos

Outra onda sulfurosa invisível sopra em minha direção vinda da entrada do vulcão lá embaixo. Não é desagradável. No máximo, embriagadora. Para qualquer um que afirme que Sócrates era o ápice da racionalidade, é preciso apenas contrapor que a missão de vida dele surgiu de sua peregrinação ao Oráculo de Delfos, uma sacerdotisa, mística e vidente – ou seja, não a ideia que alguém fizesse de um ser puramente racional – que, com grande frequência, encontrava-se em estado de transe*. Quando o Oráculo emitiu a Sócrates o comando curto, mas irresistível: "conhece a ti mesmo", ele o aceitou de imediato, senão de maneira inquestionável, então entusiástica – aquilo tocou sua alma perdida – e, pelo resto de sua vida, ele procurou a si mesmo e se encontrou, várias e várias vezes, por meio da investigação com outros, como ninguém mais fez.

Os cientistas descobriram recentemente que o santuário do Oráculo era uma estufa de emissões gasosas e vaporosas que ascendiam dos vários abismos, falhas e fissuras por todo o templo,

* Sócrates não estava, de forma alguma, sozinho nisso; gente do quilate de Platão e até Aristóteles, o "sr. Racionalidade" em pessoa, também aceitavam como realidade os pronunciamentos da sucessão de sacerdotisas do oráculo de lá. Também vale a pena destacar que, na outra interação inesquecível de Sócrates com uma mulher – a vidente e sacerdotisa Diótima de Mantinea, no *Simpósio* –, ele também acatou o que ela disse; ele ouviu com atenção total de um jeito que nunca fazia com seus interlocutores masculinos. Sócrates chega ao ponto de dizer – de novo, com uma humildade nada característica – que tudo o que aprendeu sobre as questões amorosas, foi graças a ela.

e que geravam um estado eufórico e quase hipnótico nela e naqueles que estivessem em sua companhia. Não posso dizer com certeza que estou tendo uma experiência similar à de Sócrates, mas posso confirmar que o santuário fica no cume desta ilha vulcânica (mais acurado seria chamar a própria Nísiro de vulcão ativo), a cerca de 700 metros acima do nível do mar, enquanto inalo os vapores sedutores do vulcão, que a muralha entre os vivos e seus opostos, entre o real e sua antítese, entre as próprias flexões temporais, se dissolve para mim como tantos ossos ressequidos expostos ao sol por anos incontáveis.

Nísiro é a ilha, o local que estive buscando por quase toda minha vida. Esta muralha na qual me encontro, fico sabendo, é também uma ponte – para aqueles que vieram antes de mim e que virão depois de mim, e, principalmente, para meu pai. Chame de loucura momentânea se quiser, mas ainda assim, não me parece algo nocivo ou indecoroso. Hamlet viu o espírito de seu pai caminhando por uma muralha do castelo. No meu caso, com uma intensidade inefável de sentimento e visão, meu próprio pai está sentado bem aqui, ao meu lado. Empolgado e eufórico feito um menino, os tênis *off-white* dele quicam na lateral da muralha na qual estamos aboletados. Neste momento preciso, estou unido à sensibilidade de Shakespeare no sentido de que quando certos atos são cometidos, o espírito da pessoa que recebeu ou sofreu esses atos pode se demorar depois da morte.

"Paz, paz! Ele não está morto, ele não dorme – Ele despertou do sonho da vida." Esta passagem do *Adonais,* de Percy Bysshe Shelley – uma elegia comovente escrita pelo poeta filosófico romântico enquanto lamentava a morte de seu jovem amigo, o também poeta John Keats, que faleceu de modo trágico e prematuro –, emerge espontaneamente. Talvez a passagem menos provável que se esperaria que eu ou qualquer outra pessoa pronunciasse numa muralha antiga, numa ilhota grega minúscula.

Shelley mesmo está, entre outras coisas, evocando o encontro do enlutado Hamlet com o espírito de seu pai e, desde então, esse poema é virtualmente parte do meu DNA. O que não sei dizer é se estou emitindo as palavras em voz alta ou apenas movendo os lábios ao formá-las.

Desde a morte de meu pai, tive muitas conversas vívidas com ele, várias espontâneas, em momentos despertos e adormecidos. Neste momento, porém, nos cumes de Nísiro, nenhum de nós sente necessidade ou desejo de falar. De meu (do nosso) ponto de vista elevado, é possível analisar todo o panorama do mar e o que agora são tons quase infinitos de azul e verde. À distância, lá embaixo, a espuma branca do Mar Egeu se choca contra rochas escarpadas contíguas a promontórios e falésias íngremes, onde gaivotas voam e gritam lá no alto em círculos erráticos. As ondas se quebrando pelo litoral vindas de quase todas as direções produzem um som débil, porém audível, semelhante a um rugido contínuo e modulado.

Pelo menos por enquanto meu coração não está mais tão despedaçado, minha alma não está tão fragmentada. Até a morte de meu pai, Alexander Phillips, ou Alexandros Philipou originalmente, eu tomei como ponto pacífico que minha órbita imediata era, em sua maioria, racional e razoável; que aqueles que a habitavam tinham ao menos algo semelhante a um compasso moral. Aquela presunção se foi por completo. Eu estava cego. Cego às maleitas, à malignidade, à malevolência que supuraram por décadas, manifestando-se finalmente com uma astúcia vingativa que quase acabou comigo, o choque e a descrença ainda desconcertantes de vez em quando.

Ver e não ver.

Será que fui um praticante voluntário de cegueira?

Você enxerga aquilo que quer ou escolhe enxergar. Você enxerga o que não quer ou não escolhe enxergar. Você enxerga o que não está lá, e não vê o que está. Medos, tanto do tipo racional quanto do irracional, desempenham um papel nisso. Assim como o amor e a devoção.

É muito fácil ver até os menores defeitos e as verdades mais difíceis nos outros, mas muito difícil detectar até os mais exagerados em você mesmo.

Sócrates viajou para visitar o oráculo residindo no templo de Apolo, no vilarejo de Delfos, para onde a maioria dos gregos de sua era afluía. Depois de seu encontro, a admoestação da sacerdotisa, "Conhece a ti mesmo", tornou-se sua missão de vida. Porém, o que ignoramos é que conhecer a si mesmo não significa, na verdade, que o eu que você descobriu facilitará sua ascensão e seu progresso na vida. Isso não necessariamente liberta você de seus grilhões, sejam eles autoimpostos ou não. Isso pode demolir seu espírito, esmagar você com culpa. O autoconhecimento conquistado pelo Édipo de Sófocles arrasou com sua ideia arrogante de que ele era o mais sábio dentre todos e foi levado à sua ruína por suas próprias mãos.

Não precisa ser daquele jeito.

Os frequentadores do Sócrates Café que tive o privilégio de encontrar serviram por muito tempo como espelhos gentis para meu eu mais interno e externo, público e privado. Minhas investigações junto a eles expuseram hipocrisias e contradições, além de méritos e virtudes sobre as quais, não fosse assim, eu não teria conhecimento. Graças a eles, eu pude ficar frente a frente com defeitos em meu caráter que teriam me impedido na estrada para *arete*. Mesmo assim, descobri antolhos e pontos cegos meus que, olhando para trás, eram vastos e óbvios – e quando você toma ciência deles, isso pode te abalar e chocar até o cerne. A morte de meu pai e as verdades que tive que desenterrar e confrontar viraram de cabeça para baixo muito do que eu pensava saber sobre mim mesmo e sobre aqueles ao meu redor.

Muralha para lágrimas

Irrompo em lágrimas. Uma torrente de angústia. Balanço para a frente e para trás no muro, um gemido retumbante saindo de algum lugar irreconhecível lá no fundo.

Finalmente, consigo expulsar isso de meu organismo.

Por causa da minha natureza, nesse aspecto semelhante à do meu pai, mesmo em luto profundo, sou atingido por uma onda de gratidão. Ele viveu para ver minha iniciativa do Sócrates Café e meus livros sobre as ricas experiências "socratizando" com pessoas de todas as idades e estilos de vida granjearem reconhecimento com o público geral e erudito (ele valorizava a erudição) no mundo todo, e melhor ainda, em sua amada Grécia. Ele era um helenófilo de marca maior. Além de ser membro vitalício da Sociedade Nisírica, que celebra tudo de belo e brilhante sobre a ilha de suas raízes, meu pai serviu por anos como presidente de um capítulo da Associação Americana para a Educação Helênica Progressiva, ou AHEPA, em Newport News, Virgínia. A mais antiga e maior organização desse tipo nos EUA, a AHEPA avança os ideais e virtudes da Antiga Grécia sobre a educação para a cidadania democrática, a responsabilidade e o serviço cívicos e o cultivo híbrido da excelência individual, familial e social (de *arete,* em resumo). Fundada em 1922 nos EUA, o mesmo ano em que meus avós chegaram aqui (pela primeira vez) via Ellis Island, o propósito original da AHEPA era contrabalançar o extenso racismo e o preconceito virulento contra gregos capitaneado por membros da Ku Klux Klan e semelhantes.

Meu pai também viveu para me ver conquistar a cidadania grega. Minha solicitação atravessou os canais labirínticos da burocracia grega num ritmo recorde, segundo o consulado da Embaixada Grega em Washington, D.C., onde entreguei montanhas de documentos comprobatórios, inclusive uma carta emocionante do presidente da Sociedade Nisírica traçando a rica história de contribuições de minha família ao melhor de nossa herança tanto na Grécia quanto nos Estados Unidos. Geralmente, um processo de anos com um resultado incerto, no meu caso, apenas alguns meses depois de submeter minha solicitação, eu me vi fazendo meu juramento de cidadania numa cerimônia na Embaixada Grega da capital de nossa nação. "Sua *Yaya* e seu *Pappous,* de quem você recebeu seu nome, ficariam muito orgulhosos", disse meu pai, a voz se partindo. "Você fechou o círculo de nossa família."

Na época, concordei. Entretanto, como você completa o círculo de qualquer família, imediata ou estendida, na qual alguns estão separados, ou se separam, por muralhas não escaláveis e fossos intransponíveis? São grandes as chances de que qualquer um de nós que tenha lido as crônicas suburbanas de John Cheever e suas vizinhanças de classe média com gramados bem cuidados, e que tenha também crescido numa área assim, tenha vivenciado, até certo ponto, uma versão de sua ficção na vida real. As histórias de Cheever expõem o que ocorre por trás das portas fechadas de muitos dos lares desses ambientes – lares reluzentes e ajardinados dentro dos quais as vidas de alguns dos habitantes vão se embotando, consumidas pela mesquinhez infindável, invejas absurdas, ressentimentos e coisas piores. Suas histórias também relatam, com conhecimento privilegiado, os explosivos conflitos internos nesses claustros.

Cheever capta verdades inquietantes sobre imagens dissimuladas e valores professados que batem de frente com suas naturezas mais verdadeiras, sombrias e ocultas. É essa fricção interna irreconciliável que às vezes os insta a atacar e julgar os outros com estridência hipócrita. Cheever também acerta em cheio nos conflitos destrutivos entre irmãos. O irmão mais velho do autor sofria de alcoolismo e depressão. Certo ou errado, Cheever estava convencido de que ele era a causa disto. Seu irmão, relembrou ele, "era feliz, animado e adorado" até ele, o irmão caçula, entrar em cena. Cheever disse que "os pressentimentos [*de seu irmão*] eram naturalmente amargos e profundamente [...] violentos e ambíguos; amor e ódio".

Em vez de compartimentalizar sentimentos humanos, Cheever os analisou, destrinchou revelações calcinantes, recusando-se a simplificar em excesso ou destilar as emoções entremeadas e profundamente arraigadas de amor e ressentimento, uma inveja feroz e protecionismo. Os limites aprisionantes da existência de classe média foram a placa de Petri de onde ele colheu verdades sobre a condição humana e sobre o condicionamento dos humanos.

Fiz um juramento precoce a mim mesmo de me libertar de minha própria rede cheeveriana e viver segundo meu próprio conjunto de expectativas, moralidade e fins em constante evolução. Não fiz isso como uma tentativa de alguém com complexo de superioridade de me colocar acima ou além daqueles que não tinham vontade nem interesse em escapar. Ainda assim, comecei a conceber uma estratégia de saída. Por meio da jornada de ler obras atemporais, de pensar e comungar com personagens reais e fictícios, imaginei para mim mesmo a tomada de uma trajetória diferente na vida.

Eu não concordo com os existencialistas, não mais do que Sócrates teria concordado, de que o destino do ser humano é o de que estamos destinados a morrer. Em vez disso, estamos condenados a viver; e o mais importante, para aqueles de nós afortunados o bastante para estar numa posição de fazê-lo, é aproveitar ao máximo este nosso tempo como mortais e dar ao dom e à maldição da vida tudo o que temos, não importa quanto tempo tenhamos recebido ou as cartas que o destino nos entregou.

Naquela época longínqua, eu fiquei muito ciente da propensão muito difundida de "faça o que eu digo, não o que eu faço". Mesmo enquanto era bem jovem, eu fiz questão de estar consciente de se minhas palavras e ações estavam em sincronia, e quando não era o caso, de colocá-las em uníssono o máximo que eu podia. Fui influenciado em parte por um fragmento escrito pelo filósofo pré-socrático Heráclito de Éfeso, que afirma que "o caráter de um homem é seu destino". Até de um fragmento desses, pode-se entender que a ênfase de Heráclito na natureza humana, no destino humano e no caráter humano não era do tipo formulaico, um tamanho único para todos. Não importa o que os sofistas e estoicos declarem, não basta, nem de longe, *treinar* nosso caráter para, de alguma forma, estarmos preparados para algo para o qual jamais podemos nos preparar – os dardos e setas mais inconcebíveis, agonias e tragédias. O que *ninguém* pode fazer é cultivar seu espírito para que, caso esses desafios venham em sua direção, você talvez seja capaz de enfrentá-los, absorvê-los, canalizá-los de maneiras que podem nos deixar mais fortes, sim, pelo menos por algum tempo.

Melhor dizendo: as palavras, obras e atitudes de uma pessoa *são* o caráter dela, determinando seu destino e o de muitos outros indivíduos. Essa ideia surgiu em grande parte em minhas primeiras leituras de *Laques*, de Platão, um dos primeiros diálogos que a maioria dos estudiosos concorda ser uma representação da troca de ideias histórica de Platão. Sócrates e Laques chegam à conclusão de que quando as palavras de alguém não estão alinhadas ou em harmonia com os feitos desse alguém, isso pode ser evidência de falta de coragem – e hipocrisia. Entretanto, poucos de nós colocam suas palavras em alinhamento completo com nossos atos. Às vezes, enquanto nos empenhamos para fazê-lo, descobrimos - por meio de mais reflexão e do puro acúmulo de mais experiências que demandam ainda mais reflexão - que as metas às quais aspirávamos não são tudo aquilo que pareciam; como consequência, nós as corrigimos ou revisamos.

A filosofia em si não é apenas um monte de conversa, como Sócrates sabia melhor do que ninguém, mas, sim, um jeito de ser e de agir. Em seu *Memorabilia,* Xenofonte, o notável historiador da antiguidade, além de estudante e protegido de Sócrates, diz que seu mentor declarou: "Se eu não revelo meus pontos de vista num relato formal, os revelo pela minha conduta". Sócrates então perguntou, mais do que retoricamente: "Vocês não acham que ações são uma evidência mais confiável do que palavras?". As palavras, é claro, são uma forma falada ou externada de conduta. Sócrates, contudo, está destacando que se nossos atos reais nas esferas profissional e privada não espelham as coisas que dizemos, então eles transformam as duas coisas em zombaria. Na visão dele, suas palavras - o que você diz -, assim como suas obras - aquilo que você produz - e os seus atos - aquilo que você faz - revelam quem você é.

Quando eu era criança e adolescente, frequentei os serviços da igreja ortodoxa grega, fui membro da Irmandade de Atletas Cristãos e dos Embaixadores Reais (uma versão cristã dos Escoteiros, um grupo do qual também fui integrante). Até hoje, entre as leituras do Antigo e do Novo Testamento, nas quais mergulhei naqueles dias e que permaneceram comigo desde então, estão as dos profetas Jeremias e Ezequiel. Eles eram "socráticos", ousando denunciar adivinhos e sofistas, especialmente aqueles em cargos poderosos, cujas palavras e ações não coincidiam, em detrimento da maioria das outras pessoas. A acusação contundente dos falsos profetas de sua época feita por Jeremias ainda ressoa em meus ouvidos: "eles curaram o ferimento de meu povo de forma superficial, dizendo 'paz, paz' quando não há paz". Ezequiel também clamou sobre "falsos profetas" que "levavam meu povo ao mau caminho, declarando 'paz', quando não existe paz". Com suas garantias sedutoras e falaciosas, falsos profetas são como edifícios fraudulentos que, "quando uma parede frágil é construída, eles a cobrem com cal" para dar a falsa aparência de robustez.

Para Sócrates, assim como Jeremias e Ezequiel, você precisa se empenhar ao máximo para cuidar que suas palavras coincidam com seus feitos – não como um fim em si mesmo, mas como condição para alcançar *arete*. Dizer, fazer, produzir – tudo que forjamos – deveria ser direcionado para, como ele define em *Apologia*, um esforço total para "lutar pelo que é certo", viva você por um longo tempo ou "por apenas um breve período".

As ações de Sócrates sustentavam existencialmente o que ele dizia como cidadão privado, também durante sua breve permanência no serviço público. Conforme ele relata, recusou-se a fazer parte do "tipo de ordens" emitidas pelos corruptos Trinta Tiranos – a oligarquia pró-espartana que foi instalada depois que Atenas perdeu a Guerra do Peloponeso em 404 a.C. – as quais "eram sempre dadas com a ideia de implicar o máximo de gente possível nos crimes deles". Sócrates não aceitou nada disso. Melhor morrer. "Eu mostrei", reconta Sócrates, "não apenas em palavras, mas em atos, que [...] eu não dava a mínima para a morte, e que meu único e maior cuidado era evitar cometer algo iníquo ou profano. Pois o braço forte daquele poder opressivo não me amedrontou a ponto de cometer algo errado." Sócrates estava pronto para morrer ali mesmo, naquele instante, em vez de agir de forma em que seu comportamento contrariasse os valores que ele professava.

Isso levanta a questão: como você descobre quais valores deveria guardar como os mais importantes? A resposta de Sócrates:

por meio da troca contínua de ideias e ideais, virtudes e valores e visões, com outras pessoas, e sujeitando-os a "testes" com tentativas reais de colocá-los em prática. É assim que se descobre cada vez mais sobre quais cores éticas colocar em sua bandeira. Quase todo mundo, em algum momento, prega para si mesmo e para os outros aquilo que ainda não pratica (e talvez jamais venha a praticar, às vezes por bons motivos). Da mesma forma, de tempos em tempos, quase todas as pessoas agem no mundo, ou sobre o mundo, de maneiras contraditórias ou incoerentes com os pontos de vista que professam. Mas o ato de inquirir à moda socrática pode habilitar alguém consciencioso a descobrir hipocrisias e contradições que ignorava até então, e inspirá-lo a reduzir ainda mais a distância entre o que diz, o que produz e o que faz.

Quando Sócrates foi condenado à morte, a Era do Sábio tinha sido suplantada pela Era da Fúria. Quanto mais gananciosas as pessoas se tornavam e mais saciavam essa ganância, cruzando qualquer limite moral para fazê-lo, mais raivosas elas se tornavam. Exatamente como é o caso da nossa própria Era Dourada, as pessoas descobriram que riqueza material infinita não era o prometido pote de ouro no final do arco-íris. Com frequência demasiada, lembrava mais o ouro de tolo num abismo gerado por eles mesmos. Essa "descoberta" gerou ainda mais som e fúria, significando discórdia, dissenso e, no caso de Atenas, marcando sua sentença de morte. O precipício entre palavras e atos se tornou cada vez maior, enquanto uma patologia generalizada tomava o controle. Não era que uma muralha de sombras noturnas estivesse chegando. Ela já havia chegado.

Muralha de uma vidente

O propósito original da muralha de séculos da acrópole nisírica pode ter caído em desuso há muito tempo, mas num dia claro como o de hoje você pode enxergar, de sua posição única entre os mundos oriental e ocidental (e nortista e sulista, inclusive), bem à distância em todas as direções. Se ficar sentado por tempo suficiente, ela pode transformá-lo num vidente, pois lhe dá poucas escolhas além de ver que outra muralha noturna se aproxima rapidamente.

Mais motivos ainda, em minha estimativa, para "viver como Sócrates". Para fazer isso, você não vive como se não houvesse amanhã, assim como não vive de maneira a cumprir a lamentação de Macbeth de que "amanhã, amanhã e amanhã" são desprovidos de significado. Um tema predominante do conto *The Wall*, de Sartre, publicado em 1939 e que se passa na Espanha durante a Guerra Civil Espanhola, então recém-terminada, é que aqueles que sabem que enfrentam a morte iminente – como os três brigadianos na história que são capturados por soldados de Franco e marcados para morrer na manhã seguinte – são apartados do resto dos viventes por causa de sua consciência intensamente dolorosa de sua reunião com o criador muito em breve. Pablo, o protagonista, encontra consolo na certeza de que seus carcereiros e interrogadores não demorarão a morrer também. Entretanto, revela-se que Pablo, por meio de um ardil com um resultado inesperado, vive por mais um dia e encontra um destino diferente dos outros em sua cela, que são mortos no dia seguinte. Às vezes, você acha que seu tempo se esgotou e, contra todas as probabilidades, não é verdade. Às vezes você tem todos os motivos para pensar que tem uma vida longa à sua frente, apenas para vê-la abreviada. Nunca se sabe. O que importa são suas obras e seus atos, seja lá qual for a quantidade de tempo de que você dispõe. Eles contam, eles valem, daqui até a eternidade e de volta.

O Bom, o Ruim e o Feio

Sócrates pontificou sobre os tipos de muros que as sociedades humanas tendem a construir para suplantar e se colocar acima das outras. Ele estava muito ciente, devido a uma multitude de experiências e encontros em primeira mão, dos propósitos bons, ruins e feios a que tais muros podem servir. Em sua época, um certo tipo de muro construído por atenienses e espartanos, cada um à sua maneira, foi um elemento facilitador para um jingoísmo extremo. Como resultado, cada um se convenceu de que tinha a razão e o poder exclusivamente a seu lado. As tribos gregas em luta se lançaram uma contra a outra com martelos e tenazes no prolongado conflito do Peloponeso, ambas igualmente mesquinhas, precipitadas, desconfiadas, equivocadas, nobres, virtuosas e corajosas como elas só.

O que faltava aos dois lados era a autoconsciência e a honestidade críticas necessárias para enxergar sua própria maldade e feiura. Cada um só tinha olhos para os vícios do outro, e para sua própria bondade e grandeza. A própria Guerra do Peloponeso, com 27 anos de duração, é uma prova disto. Ela foi desencadeada por uma afronta sentida pelos atenienses: eles ofereceram ajuda a Esparta num conflito em que os espartanos participavam e foram rejeitados. Não querendo ficar para trás, os espartanos posteriormente se sentiram desrespeitados quando Atenas cooperou com uma tribo de gregos que eles consideravam oponente. Ambas reagiram de maneira exacerbada e sua disputa se transformou em guerra declarada. Atenas se considerava invencível. Foi revelada a verdadeira face de seus cidadãos quando sua força militar se comprometeu a não apenas vencer Esparta na guerra em si, mas também a se engajar na tomada descarada de seu território e recursos.

Bettany Hughes destaca em seu livro *The Hemlock Cup: Socrates, Athens and the Search for the Good Life* [A taça de cicuta: Sócrates, Atenas e a busca pela boa vida], muito elogiado pela crítica, que "Sócrates estava agudamente consciente dos perigos do excesso e da indulgência abundante [...]. Ele censurava seus pares por uma busca egoísta dos ganhos materiais. Ele questionava o valor de sair para lutar sob a bandeira ideológica da 'democracia'".

Sócrates não se opunha a posses materiais, de forma alguma; entretanto, ele acreditava que se isso se tornasse o primordial ou a meta única – se quase todo mundo fosse corrupto, enchendo o bolso com lucro de origens escusas –, seria o prenúncio de que a ascensão de Atenas como uma sociedade criativa, participativa e sondadora seria freada e, no final, descarrilada; seria o sinal evidente.

E foi o que aconteceu.

Sócrates também sabia que muros físicos podem ter propósitos contraditórios. A despeito das intenções, esses muros podem prender uma pessoa dentro deles, em vez de servir a seu objetivo e protegê-la de perigos externos. Durante o conflito de Atenas com Esparta, no qual Sócrates se colocou em risco como membro da infantaria, o muro físico circundando Atenas pretendia proteger seus cidadãos de agressores externos. Em vez disso, ele represou e espalhou uma peste, dizimando a população – um desdobramento que fez da eventual derrota ateniense uma conclusão inevitável.

A premissa otimista e motivada pela fé que Sócrates depositava nos seres humanos, como ele declarou em *Protágoras*, era a de que "ninguém faz coisas erradas deliberadamente". Suas investigações queriam lançar luz sobre como fazer o bem conscientemente. Sua crença inabalável era de que, uma vez que você consegue reconhecer quando e como está errando, fará o máximo possível para, em vez disso, agir de maneira correta intencionalmente. A maioria de seus camaradas atenienses, contudo, desmentiu isso durante o declínio da cidade. Eles foram afligidos pela pestilência ética – o que poderia ser mais aptamente chamado de um caso incurável de "o sujo falando do mal lavado". Eles acusavam os outros daquilo que eles mesmos tinham se tornado. Com a cidadania cega para seus próprios defeitos, Atenas fracassou.

Ou isso é simplista demais? Seriam as coisas com frequência, se não quase sempre, mais complicadas do que isso? Enquanto me sento na muralha ainda intacta – uma muralha que sobreviveu e durou mais do que seu propósito, os edifícios da acrópole lá dentro agora soterrados há muito tempo, ainda esperando para serem escavados –, eu me pergunto: como é que um contágio moral (ou melhor, *amoral*) pôde tomar conta de uma população como a de Atenas, que por tanto tempo buscou a excelência de forma tão lúdica, criativa, colaborativa e competitiva, persistente e próspera? Estariam os ingredientes desse contágio em ação por muito mais tempo do que se fez notar? Ou ele foi algum tipo de implosão espontânea que pontuou o equilíbrio moral deles, sempre em ascensão e sustentado por tanto tempo? Que tipos de circunstâncias poderiam compelir muitas das pessoas de melhores intenções, ou até a maioria delas, individual e coletivamente, a fazer uma reviravolta dramática para pior? Seria possível que um acontecimento fortuito aqui, outro ali, disparassem uma mudança radical na conduta e nos valores que impulsionam uma população? E o que dizer da praga que atingiu os atenienses após a decisão de se emparedar contra quaisquer agressores? Ela não teve exatamente o impacto contrário sobre eles, não apenas fisicamente – prendendo-os lá dentro, facilitando a propagação da peste, arrasando sua população –, mas também moralmente? Depois da peste, aliados viraram inimigos e inimigos, aliados. Numa escala mais íntima, membros da família, da vizinhança, da pólis viraram antagonistas uns dos outros. Será que a programação individual e coletiva está sempre suscetível a essa sucessão de acontecimentos?

Esses meus pensamentos oscilam entre conjecturas sobre minha própria família, no passado e no presente (e no futuro), partindo deste ponto em que nossa história começou. Como podem pessoas decentes ficarem más, até mesmo diabólicas, num estágio tardio da vida? Será que os sinais estavam lá o tempo todo? Qual é o papel desempenhado pela composição genética? Como as circunstâncias ou o acaso, as forças que enfrentamos e que nos enfrentam, podem ser contabilizadas? Qual o papel da criação, ou da falta dela, ou se um dos que têm a responsabilidade de fornecer a criação está, ele mesmo, danificado pelo modo como ele próprio foi criado?

Que a Força esteja com você

O instigante artigo da filósofa, mística e ativista humanitária francesa Simone Weil chamado *L'Iliade ou le poème de la force* – "A Ilíada, ou o Poema da Força" –, publicado em 1940 sobre o poema épico do século VIII a.C. escrito por Homero, declara que "o verdadeiro herói, o verdadeiro assunto no centro de *A Ilíada* é a força", que ela define como "aquele X que transforma qualquer um que esteja sujeito a ela em uma coisa". Eu posso não concordar com esta observação de Weil da maneira como ela é aplicada à *Ilíada* – sempre uma proposta arriscada supor verdades universais numa história em que deuses e semideuses se misturam com mortais. De qualquer forma, eu certamente não caracterizaria tal força como um "verdadeiro herói". Mas a percepção dela é aplicável à Atenas antiga em si. Muito antes do famoso imperativo moral categórico de Immanuel Kant de que nós jamais deveríamos tratar as pessoas apenas como um meio para algo, mas, sim, como fins em si mesmas, os gregos atenienses praticavam isso de forma muito difundida – apenas para depois mudar de maneira radical para o outro extremo. Cidadãos comuns tornaram-se apenas meios para servir aos fins de alguns poucos privilegiados e poderosos. Aqui as perspectivas de Weil sobre a "força empregada pelo ser humano, a força que escraviza o ser humano, a força diante da qual a carne humana se retrai" vão no alvo. Sócrates, por sua vez, não ficou quieto e acompanhou a maioria quando isso aconteceu. Quase uma ilha de *arete* por si só, a covardia cívica pervasiva que o cercava garantiu que ele fosse sentenciado à morte. Quase todos fingiram não ver ou permaneceram em silêncio diante do ato abominável dirigido contra ele. Atenas não decaiu gradualmente; isso aconteceu num piscar de olhos, quando seu povo não se mostrou disposto a se levantar por aqueles tentando impedir que a porta se fechasse para a chance de uma sociedade aberta e fazer sua parte para empurrá-la até que abrisse de novo.

Certamente os atenienses e espartanos em guerra eram instruídos sobre a *Ilíada* de Homero. Parte de seu brilhantismo atemporal é que os aqueus gregos e troianos em guerra foram descritos como seres humanos de carne e osso, com os dois lados recebendo sua parcela justa de dignidade, nobreza, junto com arrogância, soberba, brutalidade extrema, além de uma gentileza e uma fragilidade tocantes. Cada lado acreditava ter o poder e a justiça consigo, e apenas consigo, exatamente como os atenienses e espartanos da vida real no século V a.C. – e, como Homero conseguiu transmitir, eles tinham e não tinham.

O poeta épico também sabia uma ou outra coisinha sobre muros físicos, como eles podiam levantar as imagens ufanistas que os lados opostos tinham de si mesmos. Os deuses que apoiavam cada lado na guerra serviam ao mesmo propósito que as muralhas físicas que Troia construiu – e como consequência, por muito tempo elas mantiveram os inimigos de gregos e troianos a distância. Entretanto, não importa sua durabilidade; mesmo quando abençoadas com a proteção dos mais poderosos entre o panteão dos deuses, as maiores muralhas físicas mais cedo ou mais tarde desmoronam (e quando existe algo como uma exceção da vida real, como aqui em Nísiro, suas muralhas antigas ainda estão de pé, mas perderam sua capacidade de proteger). No final, Troia foi saqueada e suas muralhas demolidas, com Apolo e Poseidon "guiando contra ela a força dos rios" por nove dias inteiros.

Heitor, um príncipe e o maior combatente de Troia, leu recortes de sua própria imprensa em demasia; ele superestimou sua perícia e encontrou uma morte ignominiosa nas mãos de Aquiles. Da mesma forma, no mundo real, o parceiro íntimo de Sócrates, Alcebíades, foi derrotado pelo orgulho e a vaidade excessivos, por mais que o velho filósofo tentasse lhe botar algum juízo. Durante uma de suas conversas com Alcebíades, o jovem herdeiro de uma família rica deixa claras para Sócrates suas ambições políticas desmedidas. A resposta de Sócrates (na verdade, uma admoestação) é: "Não é de muros, navios de guerra ou arsenais que as cidades precisam, Alcebíades, pois elas devem ser alegres", assim como "não são os números nem o tamanho" que tornam uma cidade grandiosa. "Se você administrar as questões da cidade de forma apropriada e honrada", Sócrates continua, instruindo Alcebíades, "você deve incutir *arete* nos cidadãos".

Arete. Excelência com toques de consciência social, com o dever para consigo mesmo e com os outros entrelaçados, impulsionando-se mutuamente. Alcebíades, mestre da dissimulação, fez parecer que havia levado a sério as palavras sábias de Sócrates e se empenharia, dali por diante, para atingir *arete* e se tornar um exemplo inspirador para seus concidadãos se unirem a ele nessa jornada. Ele até lideraria os atenienses à vitória militar. Porém, quando a maré da guerra mudou e passou a favorecer seus oponentes, ele trocou de lado sem a menor dor na consciência ou apreensão. Alcebíades empurrou Atenas da beira do abismo para sua ruína. Posteriormente, foi assassinado pelos próprios espartanos, que receberam sua ajuda para se tornarem vitoriosos; eles perceberam que a única lealdade dele era para consigo mesmo, e que podia traí-los tão facilmente quanto traíra seu próprio povo. Muitos estudiosos consideram Alcebíades como o primeiro psicopata total (o que me dá calafrios, já que um dos melhores amigos de meu pai disse que alguém da turma dele durante seus últimos anos "faz Alcebíades parecer um anjo"). Para causar tamanho estrago, Alcebíades precisou de muitos facilitadores e cofacilitadores. Um jeito vergonhoso pelo qual essas pessoas o ajudaram era simplesmente fechando os olhos. Outro era ver tudo o que ocorria e manter a boca fechada. A muralha de silêncio covarde erigida por aqueles que se juntaram a Alcebíades e sua turma, enquanto inocentes eram perseguidos, atormentados e coisa pior, é uma prática-padrão que tem sido emulada em toda ocasião histórica em que sociedades rapidamente se fecham (pense na República de Weimar, na Alemanha).

Como é possível que essa ilhazinha dos meus antepassados tenha merecido a construção de muralhas tão formidáveis antes da era dourada da Grécia e do eventual declínio da confederação de cidades-Estado liderada por Atenas? Suas muralhas superam em qualidade, projeto, tamanho e durabilidade aquelas de povos muito mais castos e (ostensivamente) mais estratégicos por toda a Grécia da época. O que havia neste pequeno enclave, com um vulcão atualmente em hibernação, mas de forma alguma extinto, que o tornou tão desejado e taticamente importante tantos séculos atrás, e em todos os séculos desde então? Como ele foi moldado pelo conflito e como moldou os resultados do conflito?

Incrivelmente, o próprio Homero em sua *Ilíada* do século VIII a.C. faz menção a Nísiro, apesar de ela estar entre as menores das 6 mil ilhas que fazem parte da Grécia. Que ele fizesse isso é quase como um presságio para a centralidade da ilha em termos do que ocorreria mais adiante por aqui, no espaço e no tempo reais. Em seu épico, os nisíricos contribuíram e tripularam alguns dos trinta navios na expedição contra Troia liderada pelos filhos do rei Téssalos.

Vamos nos adiantar alguns séculos daquele relato fictício: esta ilha minúscula se encontrou bem no centro e na dianteira de conflitos centrais da história mundial ao longo das eras, começando antes mesmo da crucial Guerra do Peloponeso e desde então.

Como isso é possível?

Heródoto, o antigo historiador grego, nos transmite que os habitantes de Nísiro eram originalmente de Epidauro, na península do Peloponeso, no sul da Grécia. Eles chegaram no começo do século V a.C. e prontamente criaram um templo para venerar Poseidon (e muito convenientemente, já que se diz que foi o ato dele que criou Nísiro para começo de conversa). A ilha era governada por Artemísia I, rainha da cidade-Estado de Halicarnasso, aliada da Pérsia. Isto marcou o princípio de uma história vertiginosa ao longo dos séculos, na qual a posse de Nísiro correu de uma potência para outra que ansiava por ela, por um motivo ou outro, desde sua localização estratégica até sua abundância de recursos, passando por sua estonteante beleza natural.

Mesmo no princípio de sua história, os nisíricos exibiam uma tendência a demonstrar lealdade a si mesmos antes de mais nada – uma prática que continuou ao longo dos séculos, por propósitos principalmente de autopreservação. Quando a rainha de Halicarnasso despachou cinco navios cheios de soldados da ilha para auxiliar a Pérsia, o contingente nisírico acabou desertando e lançando seu apoio aos adversários da Pérsia, os gregos, quando ficou claro que a vitória seria deles. Assim começou uma história nem tanto atribulada, mas que exibia um *ethos* de "nisíricos antes de tudo".

Ainda naquele século, os nisíricos se aliaram à primeira confederação de cidades-Estado gregas. Na verdade, Nísiro estava desfrutando de seu primeiro gostinho de independência como uma cidade-Estado autônoma. Ainda assim, tanto para aplacar suas rivais maiores quanto para mantê-las a distância, ela se tornou tributária da pólis mais poderosa de todas, Atenas. Quando esta iniciou a Guerra do Peloponeso, os nisíricos tomaram a decisão calculada de amarrar sua sorte à dos atenienses. Entretanto, aqui, mantendo a regra suprema de proteger acima e antes de tudo a si mesmos, quando os ventos da guerra sopraram contra Atenas, eles mudaram de aliança, facilmente, e apoiaram Esparta.

Em 334 a.C., ninguém menos que Alexandre, o Grande declarou supremacia sobre Nísiro. A ilha o encantou, junto com outras no arquipélago, e ele as acrescentou a seu vasto império macedônio. Então, em 200 a.C., Nísiro se aliou com vários estados gregos regionais para derrotar seu governo com mão de ferro – apenas para ser saqueada várias e várias vezes e ser tomada por um autocrata depois do outro: Antônio e Cleópatra (supostamente). Imperador Vespasiano. O governador bizantino da ilha de Rodes durante a Quarta Cruzada. Forças genovesas. O imperador bizantino, Palaiologos. A audaciosa seita cristã dos Cavaleiros da Ordem de São João na ilha de Rodes, a maior da cadeia do Dodecaneso. A lista de seus detentores pode ser lida como uma lista dos tiranos e déspotas mais importantes da história.

Em 1455, após a Queda de Constantinopla pelos otomanos, eles despacharam uma frota para tomar Nísiro. Boa parte da população da ilha foi aniquilada pela ampla campanha de destruição do sultão Mehmet II ou escravizada e vendida em outros locais como bens móveis. Nísiro retornou, no final, para o domínio dos governantes da ilha de Rodes, e em seguida da Catalunha, apenas para ser então retomada – não uma, mas duas vezes – pelos implacáveis otomanos. Foi apenas na segunda parte do século XVIII que os nisíricos puderam ter uma folga de suas dificuldades implacáveis sob a tirania dos otomanos, depois que seus conquistadores precisaram desviar seu foco e gastar seus recursos militares na Guerra Russo-Turca, que durou treze anos, terminando apenas em 1792. Os nisíricos tiraram proveito dessa trégua para apoiar a Revolução Grega de 1821, fornecendo soldados para ajudar a equipar a frota do renomado almirante grego Andreas Miaoulis. Como recompensa, Nísiro vivenciou um pequeno gostinho de liberdade; em 1823, ela aceitou o convite para se unir à Administração Provisória da Grécia Livre. Pouco depois, Nísiro foi mais uma vez conquistada pelos otomanos e novamente teve que se submeter ao governo deles.

Finalmente, em 1912, o governo turco de Nísiro se encerrou de uma vez por todas quando ela e as outras ilhas do Dodecaneso foram invadidas por uma armada de guerra italiana que já havia anexado territórios do norte da África antes controlados pela Turquia. Embora a princípio recebidos como libertadores, os italianos logo transformaram as ilhas em colônias permanentes. Em 1923, bem quando meus avós estavam prontos para fugir de Nísiro pela segunda vez, o Tratado de Lausanne foi assinado. Ele estipulava que a Turquia deveria ceder as ilhas permanentemente para os fascistas italianos. O ressentimento nativo para com os italianos cresceu com a introdução de medidas duras de taxação, a nacionalização de empresas gregas e, em 1937, o ato insultante de relegar o idioma grego da ilha ao status de mera língua regional.

Depois da rendição da Itália aos Aliados em 1943, o Dodecaneso passou para mãos alemãs. Os nisíricos, dessa vez, já estavam cansados de serem subjugados; resistiram zelosamente aos novos ocupantes. Em 8 de maio de 1945, a Alemanha entregou o Dodecaneso para as Forças Aliadas. Após essa ocasião momentosa, Nísiro foi colocada sob proteção britânica. Em 31 de março de 1947, a ilha e sua população, esmagadoramente de etnia grega, tornaram-se parte oficial da Grécia, e tem sido assim desde então.

A essa altura, 24 anos se passaram desde que meus avós deixaram para trás, de uma vez por todas, sua família imediata e estendida na ilha.

Ilha-Prisão

Meus avós – Philip Dimitrios Philipou, meu xará, e sua esposa, minha *Yaya,* Calliope Cavazarakis Philipou – cruzaram o limiar do que eles e outros 12 milhões de pessoas consideravam a terra prometida dos Estados Unidos, via Ellis Island. Para eles, Nísiro fora uma prisão. Ela não oferecia nenhuma possibilidade de fugir da pobreza. Muito melhor arriscar tudo nos EUA. Os documentos de entrada de meus avós na Ellis Island, preservados pelo Serviço de Imigração e Naturalização, classificou-os como cidadãos de etnia grega e italiana. Da primeira vez que eles pisaram em solo estadunidense, em 29 de março de 1910, chegaram no S.S. Chicago. Apenas um ano antes, durante a guerra Ítalo-Turca, Nísiro passara do longo governo otomano e turco para o domínio daquilo que era então o reino da Itália. Para nisíricos como Philip e Calliope, que estavam nos degraus mais baixos da sociedade, a mudança criava ainda mais instabilidade e menos oportunidades econômicas. Apesar de minha *Yaya* ser a mais velha de todos os seis irmãos e irmãs e, como tal, naquela sociedade matrilinear ser aquela que deveria herdar todas as propriedades da família, na época eles achavam que aquilo não valia quase nada.

Da segunda vez, quando meus avós fizeram de novo a viagem de Nísiro para os EUA, agora chegando em 10 de janeiro de 1923, eles cruzaram o oceano Atlântico no S. S. Acropolis. A essa altura, a ilha estava sob o mando do primeiro-ministro Benito Mussolini e seu Partido Nacional Fascista. Nísiro era cobiçada por sua localização estratégica como base de lançamento para expandir o império que eles vislumbravam. Philip e Calliope saíram bem na hora. Se tivessem tentado partir mesmo alguns meses depois, Mussolini e seus capangas os teriam emboscado. Mesmo que conseguissem escapar de alguma forma, um segundo ataque os esperava do outro lado do oceano, já que, a essa altura, uma maioria nativista no congresso americano havia aprovado uma lei draconiana proibindo a entrada de mais "gregos do sul e italianos" - leia-se, os imigrantes europeus mais pobres.

Por que eles se encontravam nessa situação quase perigosa, para começo de conversa? Como é possível que tivessem feito a jornada angustiante de Nísiro para os EUA, só para voltar e repetir a mesma viagem? Isso simplesmente não se fazia. Entretanto, eles fizeram.

Pode-se deduzir justificadamente que talvez eles não se incomodassem com tais viagens, apesar de precisar passar seis semanas para atravessar o Atlântico nas condições apertadas e nada higiênicas daqueles que compravam a passagem mais barata nos conveses inferiores por 30 dólares por pessoa - ainda um valor nababesco para eles - de agentes que as vendiam de ilha em ilha. Afinal, eles vinham de famílias de viajantes, barqueiros e navegadores. Mas não, não é por isso. Minha *Yaya* voltou à ilha em 1922 sem contar ao marido. Diz-se que ela tinha um amante. Um Philip muito aflito poupou e economizou para fazer a viagem marítima ele mesmo alguns meses depois. Estava decidido a convencer sua esposa a se juntar de novo a ele nos EUA. Depois de seus rogos e súplicas, *Yaya* cedeu, embora com o coração pesado.

Meu avô, com o coração partido, mas loucamente apaixonado por minha atraente, porém não bela, *Yaya* - ela tinha um certo ar, um certo *je ne sais quoi,* que atraía homens inteligentes e sagazes (mas não ricos) - venceu no final. Ele a persuadiu a dar outra chance aos Estados Unidos (e a ele). A viagem de volta, dessa vez, foi no S. S. Acropolis. Eles chegaram em Ellis Island em 12 de janeiro de 1923. Ao contrário da primeira vez, em que a entrada deles foi tranquila, dessa vez houve um problema. Durante a última parte da tramitação, Philip se tornou um "peticionário detido". Ele foi colocado numa cela na ala sul da ilha durante uma investigação sobre supostos atos de sua parte enquanto estava em Nísiro. Rumores jamais confirmados afirmavam que ele tivera uma altercação séria (ou coisa ainda pior) com um nisírico de ascendência grego-turca que, segundo diziam, estivera desfrutando com a esposa dele.

Philip recebeu em sua cela de detenção lotada uma carta datada de 26 de janeiro de 1923 vinda de dois de seus irmãos, na cidade de Nova York. Eles lhe garantiram que estavam tentando todos os meios para conseguir que ele fosse libertado. Contaram que estavam no meio de apelos fervorosos diretamente ao então prefeito de Nova York, J. Peter Grace, e ao congressista deles em Washington, D.C. Enquanto isso, eles asseguraram a Philip que, no que dependesse deles, ele "estaria fora da cadeia em poucos dias". Nesse ínterim, enviavam "dois charutos bons" para que ele "esquecesse de seus problemas" por algum tempo.

Os esforços dos dois compensaram. Meu avô foi liberado pouco tempo depois. Vários meses mais tarde, meu tio Dimitrios, ou Jimmy, nasceu. Meu pai compartilhou comigo que seu irmão mais velho suportou, ao longo dos anos, o grosso das explosões de raiva infrequentes, mas apavorantes, do pai deles, Philip. Meu pai me contou que uma vez, quando ele tinha uns 6 anos, durante uma discussão que Philip estava tendo com a mãe deles, ele se virou, agarrou Jimmy, então com 16 anos, leve e esguio, levantou-o por cima da sacada e o segurou para fora da amurada pelos tornozelos. Meu pai disse que apenas os gritos plangentes da mãe deles, que atraiu a atenção dos vizinhos e talvez pudesse atrair a polícia, o convenceram a puxar o tio Jimmy de volta para terra firme. Na primavera antes de sua morte, meu pai me contou da razão para a raiva equivocada do pai dele em relação a seu irmão mais velho, que não se parecia de forma alguma com ele, Philip, nem com sua irmã ou seu pai.

Muralha de espíritos

Eu sei que nunca mais verei meu pai.

Eu vejo meu pai em todo lugar.

A última vez que vi meu pai em seu corpo mortal, ele havia convidado minha família para passar uma semana gloriosa com ele num resort na Flórida. Ao longo de várias conversas tarde da noite, ele compartilhou comigo muitas coisas surpreendentes. O semblante que ele carregava durante esses diálogos, de mágoa e de quem sofreu uma traição, era difícil de tolerar. Era raro que meu pai demonstrasse suas emoções. Ele aguentou com graça e dignidade, perseverança e até vivacidade, uma parcela maior do que deveria de dificuldades desde sua infância, inclusive a morte de seu próprio pai quando ainda era muito novo, o que tornou necessário para ele ser o arrimo da família. Ele nunca foi de se afundar em lamentações ou chafurdar no ressentimento. Mas era apenas humano, e atingiu seu limite ao fazer 78 anos, quando dividiu comigo que tinha sido usado como bode expiatório.

Embora o amor, a devoção e a inocência em si possam ser tipos de virtudes em certos contextos, eles podem ser vistos como fraquezas patéticas e até risíveis por aqueles cheios de más intenções, pessoas que poderiam explorar essas vulnerabilidades sem o menor remorso. Eu amo e admiro meu pai – arguto e inteligente como ele só em tantas coisas – ainda mais por sua inocência nesse caso. Assim como carrego um remorso duradouro por, assim como ele, não ter nem começado a remotamente entender com o que e quem ele estava mexendo.

Quando alguém além daqueles que estiveram com meu pai nos últimos dezessete dias de sua vida chegou no condomínio dele, o local, para todos os propósitos, tinha sido saqueado. Meu pai era um acumulador consumado, mas seu lar estava praticamente limpo. Lá se foram todos os meus livros autografados que eu lhe dera ao longo dos anos, assim como montanhas de memorabília da família, incluindo sua extensa coleção de filmes caseiros que ele mesmo gravara ao longo de quase 60 anos. Lá se foi a coleção de moedas, que meu pai vinha cultivando desde criança vendendo jornais nas esquinas de Tampa. Também haviam sumido todos os seus balanços financeiros, títulos, certificados de ações e dinheiro, inclusive o que ele chamava de "banco 24 horas particular" com vários milhares de dólares que ele sempre guardava num bolso do terno em seu armário. Até um cartão de aniversário que ele comprara para minha filha mais velha tinha sido passado pela fragmentadora. No entanto, segundo uma companheira muito próxima que chegou na casa dele pouco depois de finalmente ficar sabendo sobre a sua morte, apesar de a casa estar irreconhecivelmente arrumada, aqueles presentes na residência no final não tinham nem se dado ao trabalho de limpar os lençóis que ele sujara após perder o controle dos intestinos. Enojada, horrorizada, desgostosa, ela disse ter lavado os lençóis ela mesma.

Quando eu cheguei na casa de meu pai, ela estava desprovida dos muitos pertences que refletiam sua personalidade e sua história rica e pitoresca, seu gosto eclético em arte e música, seus vastos interesses culturais, mesmo que o lugar mais especial em seu coração estivesse reservado para aqueles de origem ou influência grega. Eu fui de cômodo em cômodo de maneira distraída, sem objetivo. Apenas um punhado dos tantos livros do meu pai continuavam no local, junto com poucas peças de mobília e alguns itens cuidadosamente empilhados na cristaleira da sala de jantar, normalmente recoberta com montanhas de documentos. Seria preciso uma ou duas semanas de esforço ininterrupto para ter esvaziado a casa dele.

Na mesa do escritório do meu pai, alguns poucos livros repousavam sobre o tampo. Claramente, tinham sido considerados sem valor por aqueles que vasculharam tudo e levaram embora os outros pertences dele. Dois deles eram livros surrados que pertenceram ao tio Jimmy, que leu passagens deles para mim pouco antes de morrer, em 2001. Levei os dois volumes para o sofá da sala. Meu pai me contou certa vez, anos atrás, que os separara para guardar em segurança. Eles devem ter sido tirados de onde ele os guardou e descartados como quinquilharias.

Cada volume tinha um marcador se esticando para fora. Eram marcadores idênticos de couro, da época do tio Jimmy na Universidade de Tampa. Abri a coleção de Shakespeare na página marcada. Uma passagem destacada em *Henrique V*, Ato 4, Cena 1 da peça que meu tio leu para mim. Eu li as palavras do Rei Henrique em voz alta: "Existe certa alma de bondade nas coisas más que os homens poderiam destilar, caso prestassem atenção. Pois nossos vizinhos maus fazem de nós pessoas que acordam cedo, o que é saudável e útil; além do mais, eles também nos servem de consciência exterior e fazem o papel de pregadores que nos ensinam a nos vestir com justiça".

Será que esses livros não foram deixados aleatoriamente? Será que isso podia ser algum aviso e, ao mesmo tempo, confissão de quem quer que os tenha deixado aqui? Será que maus amigos, familiares e vizinhos (entre outros) são lembretes de quem nós mesmos poderíamos ter nos tornado – e ainda podemos, dependendo das circunstâncias? Seriam eles nossas consciências externas, espelhos para as partes sombrias de nossos próprios corações? Será que eles fazem aqueles dentre nós que são saudáveis e úteis perceberem que escaparam de ser assim por pura sorte? Poderia ser verdade que a genuína bondade da alma é perceber a bobagem de construir muralhas quiméricas entre aqueles considerados bons e aqueles considerados maus?

Em seguida, abri o volume das obras de Shelley na página marcada. Havia partes sublinhadas do *Prometeu desacorrentado*: "Sofrer infortúnios que a Esperança julga infinitos; perdoar ofensas mais sombrias do que a morte e a noite; desafiar o Poder que parece onipotente; amar e suportar; esperar até que a Esperança crie, de seus próprios destroços, aquilo a que ela contempla. Não mudar, nem fraquejar, nem se arrepender; Isto... é ser Bom, grande e jubiloso, belo e livre".

Por tantas vezes, ponderei essas palavras desde que, durante uma noite em claro, meu tio as leu para mim em 2001, mas elas são absorvidas agora mais do que nunca. Como perdoar malfeitos mais sombrios do que a noite ou a morte? O perdão ainda é relevante? Seriam o amor e o suporte, nascidos de uma compreensão mais profunda, até da empatia, o que importa mais, agora mais do que nunca?

Apesar de os eventos em torno da morte de meu pai poderem ter se desdobrado em uma infinitude de outras maneiras, foi assim que eles se desdobraram de fato. Como posso aceitar isso, sem resignação e sem arrependimento titubeante? Como posso crescer com isso de maneiras que possam ressoar com outros em toda parte? De que formas posso me apegar a meu querido e falecido pai com tudo o que eu tenho e de que formas seria melhor abrir mão dele para continuar minha trajetória ascendente em busca de autoconhecimento e *arete* humano?

Fiquei sentado no sofá, os livros no colo, sem perceber a passagem do tempo. Em algum ponto, abri as capas dos dois livros. Datados de 7 de março de 1942, exatamente quatro meses antes de os japoneses bombardearem Pearl Harbor e deixarem os Estados Unidos sem muita escolha além de entrar na guerra, cada capa tinha escrito, numa caligrafia limpa: "Para meu Jimmy, todo meu amor, Karen".

Nesse momento, senti um pequeno calombo na parte interna de uma das sobrecapas. Uma folha de papel espessa e quadrada caiu de lá. Foi preciso desdobrá-la duas vezes até abri-la por completo. Era um poema, "6.051". Estava escrito na letra inconfundível de minha *Yaya*. O poema era um que o tio Jimmy havia me contado que ela escrevera, mas que, ao descobri-lo escondido na caixinha de joias dela, ele o havia descartado. Ele deve ter se apropriado dele quando ainda era pequeno e nunca contou nada a ninguém. Ninguém conseguia guardar um segredo como meu pai e o irmão dele. Ninguém. Acho que as únicas duas pessoas em quem eles confiaram totalmente era um no outro.

Agora aqui estou eu em Nísiro, na outra ponta de todas aquelas 6.051 milhas – 9.738 quilômetros.

Muralha de visão

Pego meus binóculos pela primeira vez e olho da muralha da acrópole para os vários barcos de pesca a distância. Barcos de vários tamanhos e cores – alguns atracados, outros a caminho de águas mais profundas, outros ainda no caminho de volta, alguns carregados, outros com carga mais esparsa. Com seu sucesso profissional estelar num papel crucial – supervisionando a construção da frota de porta-aviões nucleares para a Marinha estadunidense –, meu pai havia fechado o ciclo de sua família de marujos, levando-a a alturas maiores do que eles poderiam conceber.

Nesse momento, Calliope – o nome da musa mais antiga da mitologia grega, a musa da sabedoria e da poesia, xará e sobrinha-tataraneta de minha *Yaya* – chega ao local. Minha prima de segundo grau está acompanhada de seu bisavô, Matthias. Eles sobem pelos largos degraus interiores de pedra da muralha até onde estou sentado. Matthias, ágil feito um bode montanhês, nem chega a suar depois da subida longa, acidentada e por vezes íngreme saindo de seu vilarejo. Ele está com 102 anos agora, uma idade não incomum entre os gregos nas ilhas; com frequência, eles atribuem isso a sua dieta pescetariana, que adotei há muito tempo (embora muitos deles bebam socialmente e fumem charuto ou cigarro de vez em quando, assim como Matthias e eu fazemos).

Matthias conhecia meu tio Jimmy. Assim como Jimmy, ele lutou na Segunda Guerra Mundial, em seu caso como soldado grego e parte das Forças Aliadas. Ele combateu bravamente, com desprezo e ódio ilimitados a Mussolini, que foi responsável pela prisão e morte por enforcamento de amigos e parentes que assumiram posição contrária à dele. Matthias tinha 3 anos quando meus avós imigraram, em 1922. Seu próprio pai tinha sido próximo de meu avô Philip, assim como de minha *Yaya*.

Calliope, ou Popi, havia nascido e crescido em Nova York, onde seu bisavô, George – irmão de meu avô Philip e a pessoa que ajudou a soltá-lo da detenção – se assentou em 1915, alguns anos antes dos pais de meu pai chegarem aos Estados Unidos. Calliope era uma arquiteta muito requisitada, com clientes em Nova York, Atenas e Nísiro. Seu bisavô fora um empresário de sucesso e um filantropo muito amado. Nunca me encontrei pessoalmente com ele, mas me lembro vividamente de George, um figurão na

Sociedade Nisírica de Nova York, pelos magníficos presentes de Natal que ele me enviava, inclusive meu primeiro toca-discos, e por nossas longas conversas telefônicas todo dia de Natal.

Calliope e Matthias sentam-se à minha esquerda. Matthias, que foi professor de literatura em escolas públicas por mais de meio século, aponta para o espaço à minha direita. "Seu pai estava bem ali", diz ele, com naturalidade. Ele também vê espíritos? Dou uma olhada inquiridora para ele, a sobrancelha erguida. Ele não diz mais nada.

Pouco depois de chegar a Nísiro, eu abri meu coração, particularmente com Calliope. Não era minha intenção fazer isso, mas Calliope enxergou meu interior e minha fachada como pouquíssimos conseguem. Ela e Matthias ficam em silêncio comigo agora. Calliope olha para o vasto trecho de mar. É uma visão da qual você nunca se cansa. Matthias não tirou os olhos de mim. "Não despreze a pessoa no centro disso", diz ele em grego após um tempo. "Essas pessoas desprezam a si mesmas muito mais do que qualquer um de nós conseguiria. Nada e nenhum valor em dinheiro vão compensar isso."

"Sabe, todos temos muito orgulho de você, Christóforos" – meu nome do meio em grego –, "de tudo o que você fez para promover e praticar o melhor de seu legado", declara Matthias a seguir. "Ninguém mais do que seu pai. Quando Alexandros esteve aqui, ele se sentou bem ao lado de onde você está agora." Ele torna a apontar para o espaço vazio do meu outro lado com um indicador nodoso. "Nunca se viu ou ouviu um pai mais orgulhoso de um filho."

A princípio, as palavras não são absorvidas. "Meu pai... esteve aqui?"

A resposta de Matthias é evasiva. "Ele podia ser muito reticente, seu pai. É assim que você sobrevive quando tem de se virar sozinho desde muito cedo."

Finalmente, ele diz: "Algumas coisas você jamais pode imaginar que as pessoas sejam capazes de fazer, porque se você imaginar, talvez sinta que isso se reflita em você".

Calliope, uma década mais jovem que eu, não disse nenhuma palavra até agora. Eu vim a Nísiro neste momento – com a pandemia do coronavírus assomando, sem que eu soubesse – em parte porque sabia que ela estava aqui. Quando eu estava no auge do processo de estabelecer meu primeiro Sócrates Café em Montclair, Nova Jersey, em 1996 – ele ainda se reúne toda semana, depois de tantos anos –, ela e eu nos encontramos algumas vezes em Nova York. Nós nos demos bem logo de cara, dois primos superdotados vindos de um passado humilde e determinados a levar vidas criativas e a nos esforçarmos até o limite. Calliope também arrumou tempo, de algum jeito, e tinha o talento para ser escalada em várias peças *Off-Broadway*, enquanto ainda era uma estrela em ascensão na arquitetura. Nós perdíamos a noção do tempo papeando em frente um do outro nas mesas de cafés como apenas dois primos e almas gêmeas perdidas há muito e que finalmente se reencontraram podem fazer.

Calliope, com olhos de ágata, brilhante, animada e efervescente, tinha relacionamentos pessoais do tipo rápido e intenso um atrás do outro ao longo dos anos, com a promessa do *eros* subliminar se transformando em coração partido. Todavia, nunca encontrei ninguém mais apaixonado pela vida em si. Ela conhecera bem meu tio Jimmy e, assim como ele e eu, tinha um amor inabalável pela poesia. Também como nós dois, ela se envolveu em compor algumas pessoalmente, vez por outra.

Agora Calliope, o rosto desviado do meu e do de Matthias, diz para ninguém em particular, a voz cadenciada num volume que a faz parecer vir do próprio vento que rodopia em torno de nós: "Sofrer infortúnios que a Esperança julga infinitos; perdoar ofensas mais sombrias do que a morte e a noite; desafiar o

Poder que parece onipotente; amar e suportar; esperar até que a Esperança crie, de seus próprios destroços, aquilo a que ela contempla. Não mudar nem fraquejar nem se arrepender; Isto... é ser Bom, grande e jubiloso, belo e livre".

Eu mencionara anteriormente esses versos para ela e Matthias, junto com a passagem de *Henrique V*, de Shakespeare, e como eles estavam nos poucos livros restantes na casa de meu pai depois que ele morreu. Calliope me diz agora: "Dimitrios, o tio Jimmy, contou-me que vocês dois conversaram desde o anoitecer até o amanhecer certa noite. Ele compartilhou essas passagens comigo também. Eu as li de novo quando, dez dias após a morte dele, nosso querido primo foi morto nos ataques ao World Trade Center".

Em 11 de setembro de 2001, um de nossos primos, um consultor de investimentos que trabalhava no 104º andar da Torre Norte, foi morto. Parte da reação compassiva e passional de Calliope aos horríveis eventos daquele dia foi participar do esforço para oferecer contato e assistência vitais a famílias que perderam entes queridos naquele dia. Como ela me disse logo que se lançou de corpo e alma nesse projeto: "a melhor maneira de reagir a atos de ódio é se tornar, você mesmo, uma pessoa melhor".

Desde então, ela assumiu outras causas nobres. De fato, Calliope e eu conseguimos nos encontrar em Nísiro, primordialmente porque ela não estava muito longe – na fronteira entre Grécia e Turquia para ajudar a montar bibliotecas móveis em campos de refugiados para as pessoas em busca de asilo vindas da Síria, do Afeganistão, do Paquistão, do Iraque e do Irã –, isto num momento em que as autoridades gregas estão assumindo uma postura mais linha-dura contra essas tentativas de entrar no país em busca de santuário. Calliope sentiu a dor do povo desalojado. Minha prima canaliza seus próprios revezes e sofrimentos em atos duradouros de amor e bondade em relação a outras pessoas. Qualquer um abençoado o bastante para fazer parte de sua órbita não consegue evitar querer se tornar uma pessoa melhor.

Eventualmente, Matthias diz: "Você tinha de vir para cá, Christóforos. Isto é a sua Delfos".

"*Uma* de suas Delfos", corrige Calliope. "Sócrates afirmava ser um cidadão do mundo. Você é de fato, Christos. O caminho que escolheu não é para os fracos de coração. Você não pode parar de pegá-lo agora. Se parar, aqueles que cometem o mal vencerão."

Como você continua no caminho quando sua alma está esmagada, o coração, dilacerado? Como você segue em frente quando a verdade pode ser que todo o seu trabalho "buscando Sócrates" para derrubar muros e construir pontes de amor e compreensão mesmo entre os seres humanos mais diferentes e discrepantes foi em vão? Quando você estava tão ocupado tentando salvar o mundo que não pôde salvar seu próprio pai?

A única pessoa capaz de ler minha mente e meu coração sem quase palavra alguma sendo dita por este que vos fala, além de minha esposa, é Calliope. Digo, lamentosamente: "Como?".

"'Existe certa alma de bondade nas coisas más que os homens poderiam destilar, caso prestassem atenção'", diz minha prima e sábia xará de minha avó. "Você é um buscador, Christos. Tem um coração herético. Você demonstrou o mesmo amor e compreensão por prisioneiros em cadeias de segurança máxima que demonstrou às pessoas mais proeminentes e benquistas. Você demonstrou que eles podem ter lados virtuosos e altruístas, às vezes até mais do que os proeminentes e benquistos. Talvez haja uma razão ou explicação para que você, em meio a todos, tenha de passar por algo assim. Eu não sei. O que *eu sei* é que se *existem* respostas para como perdoar feitos mais sombrios do que a morte ou a noite, como amar, suportar e ter esperança, então elas residem no tipo de busca a que você dedicou a sua vida."

PARTE I

ENTREMUNDOS

Ao deixar Nísiro, meu coração fica mais pesado conforme cresce a distância da terra de meus antepassados. Anseio por bate-papos mais íntimos, do tipo que eu tive com minha prima. Penso em minha *Yaya*, assim como em Xenofonte, um amigo e contemporâneo de Sócrates.

No dia em que me tornei adolescente, minha *Yaya* me deu outro livro – apenas alguns meses, revelou-se, antes de sua morte aos 77 anos. "Você está amadurecendo", disse ela, entregando o presente. "Agora está pronto para isto." Era uma coleção das conversas entre o historiador Xenofonte e Sócrates. Os dois se deleitavam na companhia um do outro e tiveram inúmeros encontros particulares ao longo dos anos.

As contribuições de Xenofonte para nossa compreensão de Sócrates há muito ficaram na sombra da obra socrática de Platão – e isso ocorreu em detrimento nosso. O fato de que o próprio Xenofonte não é considerado um filósofo em si, como Platão, o outro escriba de Sócrates, era, certamente tem muito a ver com isso, relegando os escritos dele relativos ao filósofo mais famoso da antiguidade às trevas. Entretanto, a seu modo, os escritos dele são igualmente valiosos. Ganhamos mais compreensão de Sócrates em si e de outra maneira importante pela qual ele comungava com os outros.

Virtualmente, todos os diálogos socráticos de Platão apresentam a abordagem de "coro" às investigações do filósofo grego – e não é de se espantar que um dramaturgo como Platão preferisse uma gama de interlocutores discutindo com Sócrates de maneira metódica, elevando-se num crescendo. Em contraponto, Xenofonte nos transmite um Sócrates – que foi um mentor para ele tanto quanto para

Platão – que fica confortável com diálogos entre duas pessoas apenas. Xenofonte nos apresenta um Sócrates que tem conversas mais próximas, mais confidenciais com corações e mentes, geralmente com uma pessoa de cada vez. E mais, essas trocas frequentemente são muito mais prescritivas do que as de Platão. Sugestões concretas e conselhos são proferidos amiúde por Sócrates e seus camaradas interlocutores. Embora não fossem investigações discursivas do tipo que Platão retrata Sócrates participando, mesmo assim elas colocam à mostra uma grande mente e um grande coração entrando em ação para aprender a melhor forma de se tornar um praticante da excelência em todas as dimensões da vida.

Vamos tomar *O banquete*, de Xenofonte, um retrato brilhante de Sócrates participando de vários diálogos isolados ao longo da noite. É uma mistura fascinante e uma oscilação entre conversa à toa e não tão à toa assim sobre a natureza do amor, misturada com confabulações *tête-à-tête* do tipo filosófico que Sócrates desenvolvia com alguns dos que se sentavam em torno dele. As questões intrigantes discutidas: do que você tem mais orgulho no que diz respeito a suas obras e feitos? Você deveria amar a si mesmo ou a outra pessoa primeiro pela mente dela ou por suas características físicas e atrações?

Como Xenofonte nos mostra, Sócrates está, como sempre, buscando – mas, neste caso, de um jeito muito mais pessoal e próximo, acessível, cotidiano. Embora mais prolixo e com tendência a tangentes que as investigações de Platão com Sócrates em seu centro, elas com frequência são penetrantes por si sós. No final das contas, fornecem uma medida mais completa de nosso filósofo ocidental. Elas mostram o lado humano dele – menos irônico, menos reservado no que diz respeito a compartilhar suas próprias perspectivas e prescrições normativas, mais aberto aos outros, mais humano.

Lamentavelmente, até alguém que costuma ser tão perspicaz quanto o filósofo e polímata britânico Bertrand Russell exibe seu esnobismo quando se trata de Xenofonte; Russell o caracteriza como "não muito generosamente dotado de cérebro e, de modo geral, convencional em seu ponto de vista". Até alguém do naipe de Russell fracassa em apreciar que Xenofonte nos dá acesso a um lado mais convencional, menos proibitivo ou desanimador de Sócrates – não menos profundo, em minha estimativa, e tão diabolicamente racional como sempre.

Xenofonte retrata ainda um Sócrates mais introspectivo que, antes de tudo, está engajado no autoexame ou, na verdade, autorrevelação. Compreender esse lado dele nos dá um olhar renovado ao estudar os diálogos de Platão que apresentam Sócrates, deixando-o menos ameaçador, menos enigmático, mais acessível e compreensível. Platão escolheu moldar suas observações de Sócrates em ação em torno das investigações públicas do famoso filósofo entre grupos, enquanto Xenofonte nos mostra um lado dele engajado em brincadeiras muito mais íntimas. Um dos objetivos mais definitivos de Platão é lançar luz sobre o que significa, para Sócrates, ter "saúde da alma". A meta de Xenofonte, por sua vez, é iluminar como Sócrates demonstra até onde a bondade humana pode chegar. Ambos estão determinados a compartilhar essas dimensões do filósofo de setenta e poucos anos em tempos sombrios.

Em minha própria prática com o Sócrates Café, com poucas exceções, emulei o Sócrates que usa uma abordagem mais coletiva para revelar verdades. Porém, ocorre-me agora, na viagem de avião de regresso a Atenas – onde pegarei o primeiro de três voos de conexão para meu próximo destino, na parte mais ao sul da América do Norte –, que os discursos individuais que Xenofonte divide conosco e nos quais Sócrates se engajava com frequência são prenhes de significados por si sós. Esta versão de Sócrates atravessa o espaço entre formal e informal, conversacional e de exploração, público e privado, intencional e fortuito.

E se, em meus encontros mais confidenciais, eu fizer um esforço consciente e consciencioso para usar esse lado negligenciado, mais conversacional da tradição socrática de compreensão e *insight*? Depois dos bate-papos intensos com minha prima e meu tio-avô em Nísiro, estou convencido de que respostas singulares jazem nesse tipo de investigação – respostas não apenas para o meu aperto em particular, mas que podem ser aplicáveis para outros que estejam lutando para lidar com perdas ou traições (outro tipo de perda) incomensuráveis e, mais positivamente, para descobrir amor, esperança e tolerância renovados do outro lado de um túnel que parece mais sombrio do que a morte ou a noite.

Além do bem e do mal

Meu poleiro na muralha da acrópole de Nísiro é agora uma de minhas Delfos, um lugar que me permite um espelho de dentro para fora e de fora para dentro, dando para meu eu mais íntimo. De Nísiro, eu então viajei mais de onze mil quilômetros para outro destino que há muito é para mim algo como uma Delfos.

Agora, estou ascendendo centenas de degraus íngremes para um *templo* de séculos em San Cristobal de las Casas em Chiapas, México. O Café Democracia, uma organização sem fins lucrativos que eu fundei e ainda lidero, está em meio ao lançamento de um programa para crianças desta região que são vítimas de abuso familiar e que moram em abrigos. No dia seguinte, darei um *workshop* de treinamento para facilitadores aos voluntários que implementarão o programa aqui. Eu aproveitei meu dia livre hoje para procurar Veruch na praça central ou *zocalo* dessa cidade colonial dos planaltos de Chiapas, onde já morei.

Ela está andando no mesmo ritmo que eu agora. Eu não a vejo há uma década. Agora ela está mais alta do que eu, seus olhos brilhantes faiscando e dançando de prazer por termos finalmente nos reunido. Eu conheci Veruch, seu nome no dialeto maia Tzotzil, pouco depois de Ceci e eu fazermos de San Cristobal de las Casas nosso lar por uma década inteira, começando em 2000. Ao longo dos anos seguintes, Veruch, sua mãe Maruch e o irmão caçula, Mario, tornaram-se nossos amigos próximos. Ceci foi professora numa comunidade indígena em Chiapas antes de nos conhecermos e nos apaixonarmos – num Sócrates Café, em Nova Jersey, ora veja, pouco depois de ela ter chegado lá para conquistar seu mestrado, e quando ela foi a única pessoa a comparecer ao café.

Aninhada nos planaltos em meio às colinas de um verde profundo e cobertas pelas nuvens, a antes insular cidade de San Cristobal de las Casas em si, fundada em 1527 e situada a 2.113 metros do nível do mar, é uma meca multicultural e multiétnica. Ela também é a casa de diversos *templos* com séculos de existência, cada um com um *design* arquitetônico distinto, alguns datando até do século XVI.

Nos mirantes ou *miradores* cercando esse templo em particular no topo do *cerrito,* ou pequena colina, que Veruch e eu estamos subindo, você tem uma visão panorâmica gloriosa da cidade com séculos de idade, as colinas e os vales que a contornam e as várias comunidades que povoam seus subúrbios, inclusive vastos entrepostos de famílias de uma variedade de grupos indígenas distintos, entre eles os maias, os tzotzils, tzeltals e lacondon. Eles se assentaram na propriedade que não era tecnicamente deles depois de serem ejetados de suas comunidades tradicionais, ou *ediles*, por causa de diferenças políticas ou religiosas com os principais figurões.

O rico mosaico de arte e artesanato, costumes e etnias, tradições e práticas em San Cristobal que coalescem aqui agora também se choca, levado em parte pelas disparidades socioeconômicas sempre crescentes entre quem tem muito e quem não tem nada. As tensões em alta, também disparadas pelo racismo e o classismo e as diferenças políticas que resultam deles, às vezes são palpáveis. Questões pertinentes a direitos fundamentais de muitos dos grupos indígenas que moram nessa região nunca foram resolvidas e, como consequência, tensões latentes são de novo uma bomba-relógio que já desandou em violência real durante o Movimento Zapatista em Chiapas, iniciado em 1994. Nos anos que se seguiram, o EZLN manteve presença formidável. As questões nas quais ele estava envolvido em lutas tanto por meio de estratégias violentas quanto não violentas continuam sem solução.

O mais impressionante durante a viagem até San Cristobal de las Casas vindo do aeroporto é o massivo desflorestamento da área ao redor, junto com o estranho desaparecimento da flora e da fauna locais, que agora apenas pintalga o cenário – e, acompanhando isso, a mudança radical no clima. A estação tradicional de frio e chuva que começou em abril e terminou em algum momento de novembro agora é esporádica no melhor dos casos, com chuvas pesadas talvez um dia ou dois por semana, em vez de diariamente e começando, feito reloginho, ao meio-dia.

É neste contexto vexatório que eu chego a San Cristobal de las Casas e, depois de todos esses anos, encontro Veruch onde ela sempre estava, e ainda está, num dia como o de hoje e nesse horário – na principal praça histórica da cidade. Uma turista examina suas mercadorias tecidas à mão jogadas por cima dos braços quando ela me vê e se aproxima correndo. Mesmo não sendo normalmente disposta a exibições efusivas, ela me dá um abraço apertado.

Pouco depois, Veruch e eu abrimos caminho subindo a "pequena" colina. No topo do *cerrito,* perto da borda de um desfiladeiro íngreme empoleira-se o templo, parecendo quase como se tivesse brotado da terra em si. Diminuto, mas vistoso, chamado *Templo El Cerrito* ou *Templo San Cristobalito,* a igreja fica realmente numa alta elevação. Enquanto Veruch e eu continuamos a subida, penso na primeira vez que eu a encontrei por acaso quando ela tinha 12 anos. Naquele dia, eu tinha ficado na praça de calcário e admirado a vista do entorno. Este é um daqueles lugares quase místicos, onde é impossível não se sentir mais próximo tanto da imensidão quanto de si mesmo. Para a incredulidade dos meus ouvidos, escutei música de piano vindo do interior da igrejinha – e música, inclusive, que era a coisa mais distante do que se imaginaria emanar de dentro de uma casa de adoração. Alguém estava tocando *Ode à alegria*, de Beethoven, com um abandono que um purista acharia digno de vergonha alheia, mas que eu desconfio que teria deliciado o compositor.

Segui em linha reta até a entrada do *templo.* Passei pela entrada de sua fachada simples e elegante, apesar de uma placa dizer que o local estava fechado para o público naquele momento. Ali, na semiescuridão – círculos de luz passando pelas janelas de vitral, projetando-se no piso de madeira como pequenos holofotes – encontrava-se um fiapo de criança. Ela usava trajes indígenas – um *huipil* ou blusa de um azul vivo, um *enredo* de lã ou saia tubinho tingida de índigo e cinza e uma faixa de algodão muito branca – debruçada sobre um piano, acima do qual havia um aviso dizendo: não toque/*favor de no tocar.*

Quando ela terminou, eu bati palmas e disse "uau" em espanhol (*guau*). Eu a assustei. Ela passou rapidamente por mim, seus chinelos de borracha, ou *chanclas,* deslizando pelo piso. Ela apanhou do chão seu embrulho com cintos de tecido multicoloridos (*cinturones*), xales (*chales*), echarpes (*bufondas*), colares (*pendientes*), braceletes (*pulseras*) e carregadores de bebê (*rebozos*). Minha esposa e eu compramos muitos produtos desse tipo de famílias indígenas, particularmente das crianças que os vendiam na principal praça histórica de San Cristobal (que agora está marcada com placas de uma empresa multinacional de refrigerantes). Mesmo a um olhar rápido, era evidente que esses itens eram produzidos com uma habilidade incomum.

Veruch estava prestes a fugir quando eu disse a ela que queria comprar algumas de suas mercadorias. Minhas aquisições incluíram um *rebozo* para carregar nossa bebê, que chegaria em breve. Veruch disse-me que, desde que ela conseguiu ficar de pé, vinha trabalhando sete dias por semana, pedindo a turistas e moradores locais para comprar suas mercadorias, as quais ela e a mãe produziam pessoalmente. Tornar-se uma pianista tinha acrescentado nova dimensão à sua vida, compartilhou ela. Contou-me também que aprendeu a tocar quando sua irmã mais velha, Loxa (pronuncia-se Lo-*sha)*, começou a aprender. O instrutor era o namorado de Loxa, um americano pianista, Eric, e eles estavam agora nos EUA, onde sua irmã estava entre os milhões de ilegais. Eric havia pagado para Loxa ser contrabandeada para o país por um *coyote* que transportava pessoas sem documentação pelo deserto de Sonora – pessoas que estavam determinadas a entrar nos EUA por basicamente os mesmos motivos que meus avós. Veruch disse que a irmã e o namorado partiram uma noite sem nem dizer adeus, deixando ela e a mãe para cuidar do bebê deles no pequeno barraco de alumínio corrugado com chão de terra onde elas moravam. Depois disso, durante a hora da sesta, quando as vendas da praça principal ficavam paradas, Veruch subia até a igreja, onde recebera permissão para tocar o piano. Com frequência seu irmão, Mario, e seu sobrinho, o bebê Andreas, vinham com ela.

Veruch me contou, naquele primeiro dia em que nos encontramos, que seu próprio pai tinha sido morto numa briga de bêbados anos antes. Perguntei a ela como. "*Bala*", foi a resposta dela. Tiro. Era uma história bem comum. A mãe de Veruch educou Veruch, o irmão dela, Mario, e agora também estava criando o neto, Andreas. Na verdade, porém, eles apoiam e até mesmo criam um ao outro; Veruch, por exemplo, é tão arrimo de família e cuida dos mais novos quanto sua mãe.

A partir daquele encontro inesperado, nasceu uma amizade. Ceci e eu quase sempre nos encontrávamos com ela e sua família, inclusive seu irmãozinho, um menino de boa índole com uma energia infinita e (assim como Veruch) uma vasta curiosidade sobre tudo, e o bebê Andreas, de pele clara e olhos de um cinza translúcido, com uma natureza esfuziante. Aquele bebê sabia que era amado. Veruch e a mãe com frequência levavam outros tzotziles para se unir a nós no Clube dos Filósofos para crianças e jovens e no Cafés Sócrates para adultos e crianças. Apesar de os povos indígenas do México terem sido vítimas de opressão e brutalidade indizíveis por gerações pelo sistema político endemicamente corrupto e racista do país – um sistema que até hoje se recusa a reconhecer plenamente os direitos indígenas – eles ainda continuam, em qualquer lugar onde vivam, a tradição de investigação e solução de problemas entre eles como iguais. Parte dessa tradição circular certamente também se deve ao fato de eles não verem o tempo de maneira linear – passado, presente e futuro –, mas sim como um padrão circular, com eventos importantes ocorrendo no que eles chamam de "círculos temporais", um "padrão" de tempo no qual os eventos são arranjados conforme seu nível de importância para cada pessoa e sua comunidade como um todo, em vez de ocorrer na sequência temporal cronológica ocidental. Assim, para eles, ao convocar um Sócrates Café ou qualquer outra reunião importante, eles "colocam" essa reunião em seu círculo temporal mais interno.

Em uma de nossas reuniões filosóficas, eu propus explorarmos a questão "O que é um ser humano bom?". Veruch, contudo, disse-me que eu não estava fazendo a pergunta certa. Ela disse que precisávamos examinar "O que é um verdadeiro ser humano?". Ela me explicou que os tzotziles não tinham um conceito do que um ser humano *bom* poderia ou não ser – apenas do que um *batsil winic*, ou um *verdadeiro* ser humano, era. Continuando, ela me instruiu que, no sistema de crenças tzotzil, você entra neste mundo como um "mero ser humano". Para se tornar um *verdadeiro* ser humano, prosseguiu, você tem de demonstrar que merece essa alcunha.

Naquele dia, eu lhe pedi – em espanhol, nossa linguagem-ponte – que me descrevesse uma pessoa assim. Sua resposta foi a que eu menos esperava: "Um verdadeiro ser humano é alguém que, quando eu tento lhe vender uma de minhas mercadorias feitas à mão, responde educadamente: 'Não, obrigado'". Veruch continuou, explicando que era mais comum que os adultos endinheirados que ela encontrava na praça passassem bruscamente por ela, sem sequer reconhecer sua existência, e alguns deles até a afastavam a cotoveladas. Alguns, disse ela, até a empurravam com força para que caísse. "Quando eles ao menos me olham nos olhos, quando eles dizem, talvez com um sorriso, 'não, obrigado', estão me reconhecendo como uma pessoa, como outro ser humano. Isso demonstra bondade, benevolência. Eles são verdadeiros seres humanos, *batsil winic,* porque também me veem como um ser humano".

O que ela compartilhou me trouxe à mente a poderosa declaração de Hannah Arendt, a filósofa e teórica política germano-americana de que nossa entrada neste mundo como recém-nascidos não é o que mais importa no que diz respeito a questões de pessoalidade. Enquanto nosso início como um indivíduo "esteja garantido a cada novo nascimento", deve existir um processo de nascimento contínuo – um "segundo nascimento", que Arendt afirma poder acontecer apenas por meio de nossas obras, palavras e feitos demonstráveis. Como ela diz em *A condição humana*, "com palavras e atos nós nos inserimos no mundo humano, e esta inserção é como um segundo nascimento". Até que e a menos que isso aconteça, afirma ela, somos existencialmente natimortos, não pessoas plenas. Como escrevi em meu livro *Desperte a criança interior e seja feliz,* segundo a concepção de Arendt (e de Veruch), aqueles que trataram Veruch e outras crianças indígenas – ou qualquer outra pessoa – como algo menos que seus iguais são meros seres humanos, porque deliberadamente tentam negar a outros seu lugar como iguais na mesa sociopolítica, seus atos de rejeição e exclusão mirando evitar o desdobramento dessas pessoas enquanto, de fato, terminam evitando na mesma proporção (se não mais) o seu próprio desdobrar.

As pessoas indígenas que conheci em Chiapas – em contraponto com aquelas que buscam subjugar e oprimir –, a despeito das muitas dificuldades que enfrentavam todos os dias, são consumados compartilhadores. Descobri que não importa o pouco que elas tenham, elas distribuirão entre outros que estejam passando necessidade o pouco que tiverem. Se ao menos todos nós pudéssemos, como eles, ser mais avançados no caminho para nos tornarmos um *batsil winic,* que época melhor isso traria para todos!

Enquanto olho para Veruch no dia em que nos reunimos depois de tantos anos, por mais alegre que ambos estejamos, a fronte dela também não consegue esconder que está vincada com certa dor. Depois da subida, nós nos assentamos num banco de mármore com uma vista deslumbrante. Ela solta o *rebozo* de suas costas perto do Templo de San Cristobalito e tira de lá um bebê adormecido: Mario, batizado assim em homenagem ao irmão dela. Ele lentamente acorda ao som dos arrulhos dela. O bebê olha para mim e gorgoleja com um prazer aparentemente genuíno antes que ela comece a amamentá-lo.

Veruch acaba me contando as notícias horríveis: três anos antes, aos 20, o irmão dela encontrou o mesmo destino que o pai deles, e da mesma forma. "Eu batizei meu bebê em homenagem a ele", diz ela em seguida. "Já posso ver que eles se parecem muito e terão a mesma personalidade. Vou garantir que meu bebê tenha uma vida longa."

Depois de algum tempo, ela tira um livro de sua mochila bordada. É uma edição em espanhol de meu primeiro livro filosófico para crianças, *The Philosopher's Club* ou *Club de Los Filosofos*, que dei para ela tantos anos atrás. (Durante aqueles anos em San Cristobal de las Casas, Ceci ensinou Veruch, Mario e muitas outras crianças indígenas a ler num projeto de salas de aula voluntária sem paredes que ela estabeleceu.) Abro o livro e contemplo uma maravilha: Veruch traduziu cada linha para seu tzotzil nativo e transpôs as páginas originais de texto em espanhol para texto em sua própria língua. Ela conta que usa o livro para ensinar a outras crianças tzotzil a ler e também que elas se agrupam em torno dela muitas noites e que, depois de ler uma ou mais das perguntas do livro em voz alta, elas se lançam em conversas filosóficas. Ela vê como eu fico contente e bate palmas, deleitada.

"Minha mãe me fez vender o telefone que você me deu, sabe", diz ela então. "Mas ela me deu o suficiente do dinheiro para formatar minha tradução e colocar tudo numa impressão bonita."

Pergunto a Veruch sobre a mãe dela. A princípio, ela não me oferece resposta. Depois de um tempo, diz: "No verão passado, Mama foi para Cozumel, na costa, para vender para os turistas na praia de lá. Eu fiquei para trás para vigiar nossa propriedade, já que alguns capangas do governo andam querendo nos retirar de lá, apesar de termos comprado com dinheiro que guardamos por anos. Mama não voltou. As suas companheiras disseram que ela foi sozinha para a praia uma certa manhã, mais cedo do que as demais...".

Mais tarde, Veruch olha para mim e diz: "Você também perdeu alguém, Christopher".

Eu conto a ela um pouco de minha história. Muito depois, ela diz: "Alguém já lhe fez alguma bondade que também causou o mal a você ou a alguém que você ame?".

Eu conto a ela sobre a vez que um pastor-alemão me atacou. Ele mordeu minhas duas pernas e estava no processo de pular para atacar meu pescoço quando alguém que se encaixa na descrição que ela deu chegou no local e afastou o cachorro sob considerável risco pessoal.

"Conte-me algo que seu pai fez a alguém que foi mau", diz ela em seguida, depois de uma pausa considerável.

"Palavras podem ser coisas más", diz ela, quando eu termino. "Elas cortam mais fundo que uma faca de verdade."

E então ela me pergunta: "Qual a pior coisa que você já fez?".

Antes que eu perceba, estou contando para ela. "Você ainda é *batsil winic*", diz ela, algum tempo depois. "Seres humanos verdadeiros não são perfeitos. Todos somos escuridão e luz. Quando *batsil winic* fazem coisas sombrias, eles aprendem com elas para poder servir melhor ao bem e à luz."

Chega o crepúsculo. Como se obedecendo a uma deixa, um morcego, *un murcielago,* surge e circunda diretamente acima de nós. Então me dou conta de que os morcegos estão passeando por todo lado.

"*Zotzilaha* é guardião dos tzotzil", Veruch me diz. "Ele governa a escuridão e nos protege de nossos inimigos. *Zotzilaha* não é o bem puro, é escuridão e luz em partes iguais. Ele não poderia nos proteger das poderosas forças da escuridão se não tivesse a escuridão em si mesmo e a compreendesse, para poder manipular sua poderosa luz e mantê-la distante. Você nunca derrota a escuridão, mas pode fazer a luz vencer por enquanto."

Séculos atrás, os indígenas tzotzil – ou *zotzil maya*, como eram chamados originalmente –, dos quais Veruch e sua família fazem parte, chamavam a si mesmos de *zotzil winic*, ou *povo morcego.* Sua história de origem relata que seus ancestrais descobriram em certa ocasião um morcego (*zotz*, pronunciado *soj*) feito de pedra e vieram a considerá-lo seu deus. Desde então, eles consideram o morcego – na realidade um humano-morcego, como suas esculturas das épocas primevas mostram – o guardião do Mundo Inferior e, como tal, uma força poderosa e potente contra seus inimigos.

"Realmente, não existe separação entre os lados da luz e da sombra, o bem e o mal", diz ela. "Nem todo mundo comete o mal, mas todo mundo pode cometer, sob certas circunstâncias. Você também, Christopher. *Zotzilaha* é nosso lembrete que se certas coisas más acontecerem conosco ou com aqueles a quem amamos, nós mesmos podemos cometer o mal."

Em seguida, ela diz: "Sua luz transparece, Christopher. E você é forte. Essa pessoa que você descreveu é fraca. Assustada. Incapaz de cuidar de si mesma e daqueles de que ela deveria gostar e cuidar."

Nós nos levantamos do banco. Indico o *templo* com a cabeça. "Você tocaria algo para mim?"

"Depois que você foi embora, meu irmãozinho ia para lá comigo", diz ela. "Ele dançava enquanto eu tocava. Eu não vou mais para lá. Agora eu toco violão."

Veruch então me conta sobre o amor que tem em sua vida, o pai de seu bebê, que lhe ensinou a tocar durante o tempo que estava longe do trabalho na *milpa*, os campos onde ele cultiva o milho tradicional, chamado *maiz*. O que ela me diz traz à mente algo que li na revista *Boy's Life* quando eu tinha 12 anos – a edição de janeiro de 1972, para ser exato (eu sei porque recortei o artigo e o coloquei no meu *scrapbook*). Ela relatava que Sócrates tocava alaúde, o precursor do violão. O artigo dizia: "Homero e Sócrates tocavam esse instrumento de cordas na antiga Grécia.

Outros que o tocavam incluíram Martinho Lutero, a Rainha Elizabeth e Johan Sebastian Bach". Se era bom o bastante para este grupo incrível de pessoas, era bom o bastante para mim. Enquanto morei em San Cristobal, retomei as aulas depois que minha esposa me deu um violão de Natal.

Prometi a Veruch, antes de nos separarmos naquela noite, que eu traria meu violão comigo quando voltasse para cá, dessa vez com minha família toda.

"Lembre-se da boa ação que você compartilhou comigo", disse ela. "A pessoa que fez aquela boa ação pegou um caminho sombrio e se foi. Mas a ação segue viva."

O homem do piano

Em seu poema *Ontens,* o celebrado ensaísta, contista e poeta Jorge Luis Borges escreve:

> De uma linhagem de ministros protestantes e soldados sul-americanos que lutaram, com sua poeira incalculável, contra os espanhóis e as lanças do deserto, eu sou e não sou.

Em meu caso, de uma linhagem de gente marítima, filantropos, misantropos, assassinos e ladrões, heróis e anti-heróis que lutaram com sua incalculável cinza vulcânica, contra os turcos, italianos, persas, alemães e camaradas gregos e as longas lanças sarissa, espadas, armaduras, escudos, falanges, balestras e navios de guerra de Nísiro, eu sou e não sou.

"Minha verdadeira linhagem", prossegue Borges, "é a voz, que ainda ouço, de meu pai". Ele relembrou como seu pai lia para ele obras escritas pelo poeta e novelista quebrador de tabus eróticos Algernon Charles Swinburne, da era vitoriana. Meu pai, por sua vez, cantava para mim enquanto tocava com tudo o piano empenado que tinha desde sua juventude e arrastava consigo desde então. Com este que vos fala como sua plateia cativa, ele arrancava do instrumento uma série de baladas gregas obscenas e sugestivamente sensuais e canções de *boogie-woogie* que, de um jeito ou de outro, brotavam tanto de sua tradição quanto do Sul profundo dos Estados Unidos.

Ouço agora a voz de meu pai, mais do que nunca. Quando tocava e cantava, ele ficava descontraído de um jeito que não podia ser em sua vida profissional, esse agente federal de alto escalão baixinho e trigueiro, um projetista de navios e engenheiro elétrico premiado com uma língua presa que às vezes ficava mais pronunciada e que navegava com sucesso o campo minado e cheio de puxadas de tapete do Departamento de Defesa. Longe do trabalho, meu pai se perdia e se encontrava ao tocar piano – muito semelhante ao que eu faço, e imagino que o que Sócrates fazia, em nossas criações musicais filosóficas.

Meu pai tinha um ritmo e uma cadência só dele. Isso ficava evidente em sua postura – uma graça, uma ginga, uma alegria. Ficava evidente sempre que ele fazia música. Seu corpo inteiro era dominado pela batida, a imagem da alegria extasiada, ao mesmo tempo totalmente mergulhado dentro e fora de si.

O homem da música

Em *O nascimento da tragédia*, Friedrich Nietzsche disse que o mundo moderno precisava de um "Sócrates como um músico" e que este seria um sinal seguro do nosso avanço e da nossa evolução como indivíduos e espécie. Nietzsche não acreditava que o próprio Sócrates original fosse esse tal criador de música. É como se ele não tivesse lido *A República*, obra na qual Sócrates exalta o espírito de *sofrósina* que "se estende pelo todo, de um lado ao outro de toda a escala, fazendo com que os mais fracos, os mais fortes e os do meio... cantem a mesma melodia juntos".

Por sua vez, o renomado filósofo e ensaísta romeno E.M. Cioran entendia que o histórico Sócrates era um criador de música por seu próprio direito. Cioran apontou em *Drawn and Quartered* (*Desenhado e esquartelado*, em tradução livre) que, enquanto o veneno que seria dado a Sócrates era preparado, ele "estava aprendendo a tocar uma nova melodia na flauta".

> "Qual será a utilidade disso?" perguntaram a ele. "Conhecer essa música antes de morrer." Se eu ousar repetir esta mesma resposta há muito banalizada pelos manuais, é porque me parece a única justificativa séria para qualquer desejo de saber, seja ele exercido à beira da morte ou em qualquer outro momento da existência.

Sócrates roteirizou a sua própria morte tanto quanto o fez para toda a sua vida. As suas últimas palavras e obras foram na verdade o seu canto do cisne. Tudo em Sócrates era sobre sintonização. As suas indagações evocativas eram acordes repetidos e improvisações com sopros de jazz que em seus crescendos exalavam cadência, ritmo, alma – em uma palavra: musicalidade. Ele era um compositor e uma canção para si mesmo.

Ainda que Nietzsche fosse ele mesmo um filósofo praticante e criador de música (ele tocava piano e violino, compunha música para ser cantada, tocada no piano e no violino, além de ter escrito poemas líricos surpreendentes), ele descaracteriza Sócrates como sendo alguém que não possuía tamanhas artes e astúcia. Entretanto, todo o corpo de trabalho socrático foi uma homenagem e uma expressão delas.

E há também o seguinte: a razão de Sócrates ter surgido de seu encontro com a profetisa em Delfos. Ele havia se abrigado ali sob uma atmosfera de dança, drogas, poesia, ritmos variados e frenesi, tudo alimentado em parte por fumaças gasosas que emanavam de fissuras no solo. Naqueles dias, todos eram considerados elementos ideais que contribuíam e até constituíam os ingredientes do próprio fazer música. Extasiado naquele templo inebriante e que subia à cabeça, Sócrates teve a epifania de que os muros entre o racional e o insano, o poético e o discursivo, não eram necessariamente coisas opostas e podiam ser uma única peça. O Sócrates do Fedro, uma mistura de Platão e Sócrates (com certeza, Platão pensou que estava fazendo mais, não menos, justiça às próprias perspectivas do seu mentor nessas últimas obras), dizia que

> existe também uma loucura que é um dom divino, fonte das maiores bênçãos concedidas aos homens. Afinal, a profecia é uma loucura, já a profetisa em Delfos e a sacerdotisa em Dodona [outro santuário principal] uma vez fora de seus sentidos,

> conferiram grandes benefícios à Hélade [Grécia continental], não só na vida pública como na privada também... o futuro... é a mais nobre das artes, com... uma loucura inspirada que se torna algo nobre... [A] loucura do amor é a maior das bênçãos vindas do céu.

Sem mencionar o fato de que conferiam "grandiosos benefícios" ao próprio Sócrates. Isso não quer dizer que, no ponto em que termina a razão, devemos nos sentir livres para dar um salto rumo ao irracional, ao místico, ao insano; em vez disso, não existe nenhuma razão pura; a razão, em sua forma mais amorosa e criativa, pode ser entrelaçada com elementos da loucura divina e inspirada.

Uma outra derradeira obra-prima de Platão, *Fédon*, também ocorre no momento imediato que precede o suicídio de Sócrates, enquanto o veneno está sendo preparado para ele. Já longe do tumulto, cercado pelos mais próximos e queridos, ele por fim conseguiu fazer uma pausa. Compôs canções, escreveu poesia. As letras e os poemas que ele escreveu incluem um "Prelúdio" ao deus Apolo, a quem o oráculo de Delfos servia. E no final de sua vida, no que constava esse diálogo, Sócrates se entrega por inteiro à musa. Ele quase já não tinha mais tempo, mas tinha todo o tempo do mundo.

Sócrates disse o seguinte sobre si mesmo em *Górgias*: "Para mim, seria melhor que a minha lira ou mesmo um coro que eu já tenha dirigido estivesse desafinado e barulhento com discórdia; que multidões de homens discordassem de mim, em vez de ter o meu único eu fora de harmonia comigo mesmo e me contradizendo". Ele era considerado discordante pelos falsos profetas da sua época que clamavam "paz, paz" quando ela não existia, porém, mantendo-se totalmente em harmonia consigo mesmo porque ele se manteve firme e falou a verdade diante do poder. Na verdade, ela era uma lira humana elevada e desafinada, condenada à morte por violar as leis que tornavam chamar os mentirosos humanos que condenavam a democracia um crime capital.

Um encontro em São Paulo que não tem preço

"*Saudade*", Sonia me disse isso em um café cubano no centro da cidade de São Paulo, Brasil.

A jovem de 18 anos de idade participou da palestra que eu dera no início do dia ali mesmo, durante uma conferência de ética empresarial eminente. Entre outras coisas, eu sou Representante de Consultoria de Investimentos e gosto de filosofar sobre o assunto – e colocar investimento real em prática – investimento sustentável, responsável e impactante.

Ali, na cidade mais populosa do Brasil, eu falei para um público composto por cerca de quinhentas pessoas sobre como a qualidade mais importante de qualquer sociedade, independentemente do tipo de economia que ela promulga, é na verdade a sua capacidade de ser autocrítica. E com isso eu quis dizer que ela deve se esforçar para encorajar uma cultura que promova diálogo intenso, informado e honesto, que exponha e analise suas falhas, seus perigos, suas tendências mais desumanas. Disse a eles que, seja a sociedade baseada em princípios marxistas, em um capitalismo acelerado, moldado sob noções da *República* de Platão, ou mesmo uma mistura curiosa de diversos tipos de economias, o que mais importa é o fato de que ela compele os cidadãos a serem honestos sobre si mesmos de uma forma implacável, com o propósito de então encontrar maneiras de reconhecer e contrariar as suas disposições mais sombrias.

Eu estava funcionando sob o efeito de pura adrenalina; mal tive a chance de me ajustar à mudança de horário depois da viagem de dez mil quilômetros que partiu de Atenas, quiçá de considerar com calma a exortação e a cobrança da minha prima Calliope, a de para procurar formas de, com certa seriedade, amar aquilo que não é amado, perdoar o imperdoável e, ao mesmo tempo, atingir melhores conhecimento e compreensão sobre mim mesmo, de maneiras que possam ressoar com os outros. Atrasado em horas graças ao meu voo de conexão, havia então chegado a hora de subir no palco e falar ali, pouco depois de chegar.

A resposta do público à minha palestra foi gratificante, especialmente as perguntas feitas pelos jovens presentes quando ela terminou. A maioria deles indicou que acreditava que o novo governo federal conservador e as políticas de livre mercado que ele endossava eram uma lufada de ar fresco. Mas as suas esperanças aumentaram, apenas para serem frustradas, quando o Partido dos Trabalhadores, com suas pautas de esquerda, assumiu as rédeas do poder em 2003, quando esses mesmos jovens ainda eram crianças; seus líderes, um após o outro, tornaram-se prisioneiros da ganância, do poder e da corrupção. Um desses presentes, Filipe, citou John Emerich Edward Dalberg-Acton, historiador e político inglês do século XIX, que observara que "o poder tende a corromper, e o absoluto corrompe absolutamente. Grandes homens são quase sempre homens ruins". Até que Sonia disse (de uma forma presciente, ao que pareceu) que ela tinha poucas dúvidas de que o novo governo mais recente terminaria da mesma maneira que os antecessores, com todas as suas grandes esperanças iniciais se revelando infundadas e enganosas – contudo, seja como for, ela e quase todas as outras pessoas da mesma geração estavam determinadas a falar a verdade sobre o poder, porque essa era a única forma de realizar as aspirações em suas vidas pessoais e privadas.

Sonia e diversos outros alunos do ensino médio público com idades entre 16 e 18 anos conseguiram bolsas de estudo para participar da conferência, cuja inscrição era muito cara; eles foram escolhidos graças à excelência acadêmica, além de estarem ali graças aos seus esforços admiráveis no mercado de trabalho. Apesar de terem passado um dia intenso rodeados por líderes empresariais respeitados e estudiosos de ética, não só do Brasil como do mundo, eles não estavam de maneira nenhuma intimidados ou mesmo amedrontados; fizeram perguntas astutas e afiadíssimas a todos nós que estávamos entre os principais palestrantes e painelistas do dia.

No meu caso, acabou sendo uma relação de troca tão significativa que levou os apresentadores do painel a me questionarem se eu também, no final daquela conferência, organizaria um Sócrates Café sobre a pergunta: "O que não tem preço?".

Sonia foi uma das primeiras a se manifestar durante a nossa conversa filosófica. "Para mim, o que não tem preço é aprender a obter as ferramentas necessárias para fazer o que eu quero na vida." Ela compartilhou que tem dislexia, além de transtorno de déficit de atenção e hiperatividade, que não foram diagnosticados até que ela já estivesse na adolescência. "Os meus primeiros anos de vida foram um inferno para mim e para a minha família. Achei que estava ficando louca. Os meus pais não tinham condições de me mandar para um especialista. Só quando consegui um emprego em período integral depois da escola, aos 16 anos, tive a chance de obter cuidados de saúde particulares, assim finalmente fui diagnosticada corretamente.

"Não acho mais que eu seja maluca. Agora, tenho um terapeuta especializado em TDAH me ajudando a me educar sobre como o meu cérebro funciona e como ele é diferente do de uma pessoa sem esse déficit. Só a revelação de que eu não sou neurotípica foi um alívio. Não havia nada que eu pudesse estar fazendo de errado que me impedia de ter um bom desempenho na escola. O funcionamento do meu cérebro é completamente diferente do da maioria das pessoas. Eu estou aprendendo a como aplicar esse conhecimento na minha vida e lidar com qualquer tarefa que me seja dada ou atingir qualquer objetivo que eu tenha. As minhas dificuldades de aprendizado nunca vão desaparecer, mas agora eu sou capaz de mapear estratégias para ter sucesso e que levem em conta o funcionamento tão único do meu cérebro. Consegui ganhar autoconfiança, alcançar um nível de satisfação e sucesso que eu jamais consegui em todos os anos anteriores da minha vida. Eu sou uma estudante de honra com bolsa integral em uma universidade de prestígio, estou no caminho certo." Ela sorri. "Como diz o comercial, 'não tem preço'."

E então todos – todo mundo mesmo – se levantam e a aplaudem.

Sonia e vários outros alunos tinham mais a dizer mesmo passada a hora prevista para a nossa conversa, eu queria ouvir e aprender. Nós nos deslocamos para um café cubano que funcionava 24 horas nas proximidades para assim continuar filosofando e conversando, enquanto bebíamos um café forte e amargo.

Ela e o restante daqueles que estavam sentados ao redor de uma mesa circular moravam a cerca de uma hora e meia de distância dali – no mínimo, trajeto esse em que fazem uma série de conexões labirínticas de ônibus – de onde estamos na parte considerada a mais elegante da cidade paulista. Eles me contaram que a favela onde moravam era um bairro bastante unido e não se restringem a apenas um lugar perigoso sobre o qual tanto se lê.

Sonia compartilhou comigo um pouco mais sobre a sua história naquela mesma noite. Contou-me que seu trabalho em tempo integral depois da escola tornou possível que seu empregador deduzisse o equivalente ao seu salário para fornecer cobertura de saúde a seus pais e irmão, que de outra forma seriam dependentes do sistema público de saúde, uma certa bagunça de mediocridade e inépcia com suprimentos médicos críticos e escassos. Ela também compartilhou comigo que o seu objetivo era trabalhar na área de desenvolvimento sustentável. Sonia tinha a grande esperança de se matricular no renomado programa do Earth Institute na Universidade de Columbia e depois disso retornar para o Brasil, a fim de dedicar suas energias à preservação da Amazônia.

Não tenho certeza de como ou do porquê – faz-se necessário que isso seja atribuído à incrível capacidade de ela conseguir fazer você compartilhar coisas que jamais planejou fazê-lo, somado à minha exaustão emocional e física entrelaçada com a alegria de estar nesta cidade, ainda que somente por um dia, tendo uma visita tão intensa e significativa –, mas em algum momento eu compartilhei com ela alguns dos altos e baixos que vivi desde a morte do meu pai.

A única palavra em português que Sonia disse depois que eu terminei de contar tudo para ela foi "Saudade".

Ela respondeu o meu olhar intrigado com: "Não existe nenhuma tradução literal dessa palavra para outro idioma. Ela significa tantas coisas – tristeza, alma, perda, amor, luto, desespero e anseio".

"Você sofre por conta do seu pai e, sim, você sofre pelo que poderia ter sido se alguém decente estivesse lá para intervir nos últimos dias dele", ela disse. "Mas essa não é a única razão pela qual você sente a falta, o anseio e a ausência que constituem a saudade. Você sente saudade da traição de alguém em quem você e seu pai confiavam por inteiramente."

"Você também deseja ter seu pai de volta, gostaria de não ter dado algumas coisas como se fossem garantidas, de não o ter julgado de forma tão feroz. Ele está sempre presente; o que torna a ausência dele ainda mais dolorosa. Você sempre estará se despedindo do seu pai e dessa pessoa que traiu vocês dois."

O que essa pessoa extraordinariamente perceptiva disse tem o som dissonante de uma percepção honesta. Nós ficamos em silêncio por um longo tempo. Até que eu disse: "Eu também tenho saudade da família que poderia ter havido quando eu era mais novo. Havia tanta promessa ali. Mas que nunca esteve à altura disso".

Eu então olhei para o meu relógio. Já eram quase cinco horas da manhã. Eu precisava retornar a meu hotel, arrumar os meus poucos pertences na mala e correr para o aeroporto. Eu disse para Sonia que jamais teria entendido essa parte vital daquilo que eu sentia falta, ansiava e lamentava se não fosse por ela.

"Eu preciso lhe dar uma coisa", ela me disse. Enquanto Sonia saiu correndo do café, ela me chamou: "Encontro você no saguão do seu hotel".

Primeiro, eu a esperei no saguão, depois na entrada do hotel. Eu disse ao impaciente motorista do Uber que já havia chegado para começar a me cobrar enquanto eu esperava Sonia chegar, eu checava repetidamente o meu relógio de pulso. Não tinha coragem de ir embora e não tinha o telefone dela para ligar. Até que, por fim, eu não tive escolha que não fosse entrar no carro, caso contrário perderia meu voo. Mas Sonia finalmente chegou, sem fôlego. No rosto, ela carregava um olhar que em nada se parecia com decepção. Entregou-me, então, um livro com uma capa mofada e desbotada. Uma coleção de poemas de Carlos Drummond de Andrade, o poeta mais reverenciado do Brasil, que morreu em 1987, aos 85 anos de idade.

Por mais agradecido e tocado que eu me sentisse, disse-lhe que precisava me apressar rapidamente. Porém, antes que eu o fizesse, ela pegou meu pulso a fim de me impedir, abriu o livro às pressas em uma página e leu o início de um poema de Drummond intitulado "A um ausente".

Tenho razão de sentir saudade,
tenho razão de te acusar.
Houve um pacto implícito que rompeste
e sem te despedires foste embora.

"Você nunca vai superar essa saudade", disse ela. "Como poderia superar? Por que superaria? Ainda que de formas muito diferentes, não uma pessoa, mas duas pessoas deixaram você sem se despedirem de maneira adequada. Este é um anseio e um luto, um luto e um anseio muito profundos. Agora ele faz parte de você, para sempre. E eu posso dizer, mesmo nesse pouco tempo que o conheço – uma vida inteira contidos em um dia, em uma noite e depois em um dia de novo – que a sua alegria virá disso. Na sua palestra durante a conferência, você falou com tanta paixão sobre as pessoas nos extremos da vida com quem você mantém diálogos, como você aprende com a sabedoria delas – uma sabedoria que você disse que muitas vezes brota de um desgosto que é indescritível. E, mesmo assim, você disse para todos nós, que a maioria delas, de alguma forma, ainda tem essa aura de alegria sobre elas, são tão cheias de amor e carinho, que a vida não as derrotou."

"Este mundo é um lugar onde os corações se partem", disse essa jovem alma sábia por fim. "A sua natureza alegre não pode ser separada das suas lágrimas e do seu desgosto, Christopher. O seu coração é forte. Continue amando. Continue permitindo que o seu coração seja partido."

Sonia me deu um abraço apertado, um vislumbre de um beijo – um mero toque na bochecha – e assim eu vou embora.

Um desejo vago e constante

A palavra saudade entrou no léxico português no século XIII. Naquela época, centenas de milhares de pessoas navegaram a bordo de navios portugueses rumo a outras partes da América do Sul, da África e da Ásia, da América do Norte e da própria Europa, todos em busca de uma vida melhor. Todos aqueles que então partiam em tais jornadas sabiam que estavam repletos de incertezas e riscos. E seus entes queridos, de quem especialmente se despediram, sentiram uma falta e um desejo, um arrependimento e uma tristeza. Eles sabiam que as chances de que seus entes queridos retornariam eram pífias, que era mais provável que morressem em meio a naufrágios, batalhas, doenças, ou simplesmente desaparecessem sem deixar quaisquer vestígios por razões desconhecidas. Os que haviam ficado para trás sofriam intensamente com o vazio que em muitos casos passaria a se provar duradouro. Sentir a presença da profunda ausência de alguém querido que se foi para sempre é a saudade. A palavra vem do latim *solitates*, ou solitudes. Muito mais do que uma mera melancolia ou nostalgia que são induzidas pela dor, é uma falta e um vazio que nunca desaparece; pelo contrário, ela se aprofunda com o passar do tempo.

No seu livro *Portugal*, de 1912, o literato e tradutor A. F. G. Bell escreveu que saudade "é um desejo vago e constante de algo que não existe e provavelmente não pode existir, de uma outra coisa que não é o presente, um se voltar para o passado ou futuro; não um descontentamento ativo ou uma tristeza pungente, mas uma melancolia que é indolente e sonhadora". Neto Coelho, escritor e político brasileiro que fundou a Academia Brasileira de Letras, chama saudade de "a memória do coração". Carlos Drummond de Andrade parece ter uma concepção de saudade que mistura essas perspectivas: "Também temos saudades daquilo que não existia".

Era possível que eu tivesse sentido saudade na minha primeira visita a Nísiros? Ali eu senti a presença e a ausência do meu pai com intensa melancolia e falta, arrependimento e... alegria – por aquilo que o nosso relacionamento era, pelo que nunca havia sido e pelo que provavelmente jamais teria sido, mesmo que meu pai tivesse vivido mais mil anos, pelo relacionamento que estava por vir, decorrente da semana maravilhosa que ele e eu havíamos passado, a primavera antes de sua morte, unindo-nos mais uma vez e compartilhando confidências de uma forma que nunca tínhamos feito antes – pelo relacionamento que hoje eu tenho com ele. Mas eu também sinto um vazio e uma tristeza por outro relacionamento que agora é bloqueado por uma traição inimaginável.

Perdido em meio à tradução

Incontáveis termos gregos e helênicos difíceis de traduzir, centrais para a busca de Sócrates, foram repetidamente mal traduzidos e, portanto, de uma forma lamentável, mal compreendidos por séculos a fio – os principais entre eles são *sophrosyne*, *eudaimonia*, *daimon* e *arete*. Isso fez precipitar deturpações escandalosas dos objetivos finais do filósofo. Todos esses termos, entre eles saudade, possuem dimensões morais e espirituais, requerem uma visão imaginativa para que seja possível utilizá-los da maneira ideal em sua própria vida e época.

Saudade não é uma ninhada interior ou uma morada do passado em si; a palavra tem uma dimensão voltada para o futuro, podendo ser usada para tornar um presente imaginado mais real. Eu poderia chorar e ansiar por uma família que jamais existiu ou poderia vir a existir, uma família que tivesse diversos elementos da tragédia grega e shakespeariana. Talvez seja em grande parte por essa mesma razão que, enquanto adulto, eu fugi de relacionamentos que exigissem compromisso. Até que em um dia de outono de 1996, quando eu tinha 37 anos de idade e organizava um Sócrates Café sobre a pergunta "O que é o amor?", expus meus medos mais profundos para a única pessoa que apareceu para participar do evento. Na ocasião, ela me disse que eu não era aquele com quem não tive escolha a não ser viver. Com o poder de seu amor e sua crença em mim, enfrentei e superei os medos que havia muito me dominavam. Com ela, agora tenho uma família da minha própria escolha. Eu, a minha esposa Ceci e as nossas duas filhas não somos uma família perfeita (o que quer que isso signifique), porém, não existe violência física entre nós e escassas comunicações que possam ser tidas como violentas. De uma maneira mais positiva, e muito mais frequentemente do que nos momentos em que não nos comunicamos de forma aberta e honesta, mesmo quando doía, procurávamos nos tornar cada vez mais amorosos e compreensivos um com o outro, ajudar um ao outro a descobrirmos juntos as nossas paixões e persegui-las com tudo o que tínhamos. Sempre fomos o oposto da família composta por fossos, abismos e muros na qual eu lamentavelmente cresci.

Saudade é da família da "eudaimonia socrática", uma alegria que se experimenta junto da perda, do desgosto e até mesmo do desespero. É a vivacidade que vem à tona ao se lidar com os piores infortúnios, canalizá-los, algo que o impele a prosseguir mais do que nunca, não como um objetivo em si mesmo, mas com um propósito renovado, com noção mais clara de como fazer a sua parte para tornar o nosso mundo mais amoroso. Ainda que você não esteja mais completamente inflexível ou inquebrantável, fora do seu sofrimento, você passa a reunir mais coragem, espírito e determinação para resistir aos milhares de choques naturais (e os não naturais também) que surgem em seu caminho – não voltado para o fim insignificante e egoísta de algo do tipo "Bem, eu vou mostrar para esses bastardos que eles não conseguem me derrubar", no entanto, com uma visão imaginativa e uma sabedoria ética que torna mais provável que você tome medidas concretas para diminuir feridas evitáveis infligidas ao mundo e por ele.

Para isso, faz-se necessário também incorporar e colocar em ação outros termos da época de Sócrates difíceis de traduzir – *sophrosyne*, *eudaimonia* e *arete*.

Sophrosyne é frequentemente mal traduzido como moderação ou temperança, quando o que a palavra significa na verdade é saber quando reter e quando deixar ir, quando se conter (e talvez conter os outros) ou não, com o objetivo de se alcançar uma melhor versão de si mesmo, além de abertura e libertação da sociedade; e isso só pode ser alcançado por meio de uma busca implacável de autoconhecimento e autoconsciência. *Eudaimonia*, por direito, não significa mera felicidade, como tem sido comumente mal interpretada, mas sim alegria, de um tipo que passa a ser de tal forma depois de experimentar profundos sofrimento, agonia e desespero, que (caso você sobreviva a tal experiência) é a infusão com a qual você detém maiores empatia, compreensão e visão humana voltada para o futuro. A pessoa com quem se divide a cama, *daimon*, não é uma voz vinda de outro mundo, mas uma que emerge, mais do que em uma idade já adulta, junto com o espírito afim de *atopos* – que não significa alienação e sim "desajuste" –, o de se sentir fora de lugar; como consequência, ponderar-se com tudo o que se tem sobre a natureza, além do lugar de cada um e de si mesmo no esquema das coisas. Já *arete* vem escandalosamente sendo traduzido como virtude, enfraquecendo e diluindo ambos os conceitos, causando uma legião de distorções sobre quem e o que era Sócrates, aquilo que uma iteração moderna da sua prática pudesse significar atualmente. De fato, *arete* é a busca incessante pela excelência em todas as dimensões da vida, um componente de aspiração que se entrelaça com um toque decidido da trombeta moral na qual o dever para consigo e para com os demais continua de mãos dadas; torna-se necessário "viver como Sócrates", ou, dito de outra forma, viver a "vida do dever".

Esses conceitos também têm uma dimensão existencial. A consciência do significado de saudade, quando combinado com os de *sophrosyne, eudaimonia, daimon, atopos* e *arete*, deve inspirar você a nunca (ou pelo menos raramente) dar um momento sequer como algo que já está garantido. Eles fazem você perceber, como Hilel, o Ancião, líder religioso judeu, sábio e estudioso bem coloca: "Se eu não for em prol de mim mesmo, quem será de mim? E o sendo, o que sou esse 'eu'? Se não agora, quando?". Esse mesmo sentimento deve ser aplicado em conjunto com o outro famoso termo *ukase* moral de Hilel, do tipo que é muito mais poderoso do que aquilo que hoje confundimos com a Regra de Ouro: "O que você considera ser odioso para si, não o faça ao seu semelhante". Em vez de fazer aos outros o que você acredita que gostaria que fizessem a você, não faça aos outros nada que você considere abominável.

Se não agora, quando? Se não eu, então quem?

Isso não significa se tornar tão dedicado a uma missão, causa ou movimento a ponto de se viver cada instante sob um ritmo frenético, vertiginoso, quase fora do corpo, porém, saboreando o seu tempo aqui, além disso os seus momentos com e sem aqueles que você ama. Significa até mesmo saborear suas próprias derrotas e dessa forma moldar algo significativo com elas – quase sempre com o entendimento de que esta vida passará rapidamente, ainda que vivamos por cem anos.

Como Rainer Maria Rilke coloca em "A nona elegia" de suas *Elegias de Duino*, "Todo mundo *outrora*, apenas *outrora*. Apenas uma vez e nada mais. E nós também outrora... porém, tendo sido *outrora*... tendo sido da Terra parece algo irrevogável". Se você concorda com essa "perspectiva socrática", eis então mais um motivo para fazer a tentativa sincera de esculpir e moldar algo que seja significativo, que torne o mundo mais habitável de uma forma prospectiva e adorável a todos, em parte pela perda terrivelmente dolorosa daqueles que você amou e que já não estão mais aqui, em parte pela perda terrivelmente dolorosa daqueles que permanecem aqui, porém, ainda assim estão fora de alcance.

Lições antes e depois da morte

A morte do meu pai se tornou uma cruz a ser carregada por mim. A dor por sua perda diversas vezes me levou ao ponto de inflexão. Acontecimentos sem sentido e trágicos tendem a acontecer a cada minuto de todo dia; e sobre isso passei a entender. A preponderância desses tende a recair sobre os mais vulneráveis e frágeis do mundo, os idosos entre os mais vitimados, assim como o meu pai no momento de sua morte.

Ainda assim, as coisas raramente são cortadas e secas quando se trata de algo "ruim" ou "mau" acontecendo com pessoas "boas". Aquilo que constitui uma pessoa boa ou má, quiçá uma pessoa puramente boa ou má ou uma pessoa santa ou má, pode ser relacionado à cultura, aos critérios éticos em constante mudança, aos sistemas de crença, de época e de ideais. Embora existam aquelas raras almas transcendentes consideradas "boas" pela maioria advinda de qualquer referência, também existem ocasiões nas quais mesmo uma pessoa como essa pode de repente "estalar os dedos" e então fazer algo horrível, por uma série de razões (ou até mesmo falta delas). Por sua vez, alguns que cometeram atos monstruosos também já demonstraram uma bondade amorosa. Alguém pode já ter sido um pai amoroso alguma vez, visto a sua progênie como sendo a sua única realização decente, mesmo que se mostrasse um transgressor impenitente na maioria dos outros comportamentos. Essa mesma pessoa seria capaz de fazer qualquer coisa - qualquer coisa - para manter o respeito de seu próprio filho, ainda que haja também outras razões e outros impulsos, incluindo uma ganância insaciável. Já, em contrapartida, alguns considerados piedosos são dotados de impulsos sombrios. Eles poderiam ser capazes de escondê-los (até de si mesmos), contudo, não completamente para os conter ou controlar, podendo causar danos incalculáveis a inocentes em sua órbita.

Na maioria dos casos, a nossa disposição de rotular os outros, seja em termos moralistas e críticos, ou em preto e branco, ignora as facetas mais obscuras, sutis e complexas que só podem ser reveladas se você dedicar um tempo considerável para detalhar a história de alguém. É a única forma de romper os muros de preconceito e de um (des)julgamento que temos em relação aos outros. O ato de rotular e julgar, por diversas vezes, é principalmente uma tentativa de desviar o julgamento de si mesmo. É tão fácil rotular alguém nos termos mais duros, o que inclui "sociopata" e "psicopata". É tão difícil perguntar: e eu? E a sociedade? E quanto a todos aqueles que vivem em um mundo abundante, quando sabem que milhões de outros estão morrendo de desnutrição, por pestilência e doenças que são evitáveis, quando descobrem (ou pelo menos deveriam saber) que um bilhão dos seus semelhantes não possuem acesso a uma instalação básica nem mesmo para lavar as mãos - um ato capaz de matar germes, bactérias e vírus que poderiam ser fatais (especialmente durante uma pandemia)? E quanto àqueles que estão cientes disso e que pouco ou nada fazem a respeito? E em relação àqueles que não derramaram nem uma lágrima sequer sobre tamanho estado injusto das coisas? E quanto àqueles que sabem serem sempre os mais pobres que frequentemente se tornam os mais mutilados ou até mesmo mortos em conflitos violentos que não são deles, orquestrados pelos poderosos, e pouco, ou nada, fazem para se manifestar, muito menos remediar esse estado injusto das coisas? Essas pessoas estariam bem servidas caso perguntassem a si mesmas se existiria algo de sociopata nelas, se a sua sociedade refletisse uma patologia profunda.

Um ser humano, na maioria das vezes, possui amplas doses não só de virtude como de vício. Um pai, por exemplo, pode ser um chefe de família exemplar, ter uma ética de trabalho incomparável, porém, ainda assim, não ser capaz de dedicar nenhum pensamento sequer para oferecer um exemplo moral aos seus filhos. Ele pode até ser admiravelmente parcimonioso ao extremo ao economizar e investir cada centavo disponível durante muitas décadas, parcialmente para garantir que aqueles que ele mais ama e acredita serem mais merecedores não precisem se preocupar tanto financeiramente. Contudo, ele também pode esconder de forma inescrupulosa as suas finanças de olhares indiscretos; e até mesmo pedir ajuda de outros amorais para assim fazê-lo - outros esses que podem, se souberem que estão isolados de seu tesouro, digamos por causa de sua ladainha sobre atos fraudulentos (talvez influenciados pelo próprio exemplo já sem brio de um pai), tomam o assunto em suas próprias mãos e fazem o que for necessário para pegar aquilo que eles se convenceram como sendo a sua sobremesa justa. Um pai pode ser um genuíno e inveterado empreendedor social e cívico, largamente admirado e respeitado por bons motivos nesse sentido. Ele pode até ser o marido mais protetor que existe de uma esposa frágil. Entretanto, ele também pode muito bem ser um flagrante mulherengo (contribuindo assim justamente para a fragilidade de sua esposa). A portas fechadas, ele é capaz de ter um temperamento imprevisível, de até mesmo atacar crianças indefesas que não fizeram nada de errado, simplesmente porque ele pode – talvez isso aconteça por raiva de não levar uma vida que seja de sua escolha – e quer descontar. Ele pode até ser pego sentindo prazer com o azar da criança que está sob a sua asa e que continuamente comete erros, jamais aprendendo qualquer lição que seja (e talvez incapaz de aprender), ou mesmo aceitando um pingo de responsabilidade. Todavia, ele também pode ser o primeiro a oferecer socorro, e repetidas vezes. Isso não quer dizer que uma pessoa seja um emaranhado de contradições – apenas o fato de que para muitos falta a consciência (ou o desejo de tê-la) daquelas contradições que impedem as pessoas e a sua sociedade (incluindo aquela que é a sua familiar) de florescer em sua plenitude. Porque esse florescimento exige uma honestidade mordaz, uma visão imaginativa e a criação de uma estratégia que se revele concreta, capaz de realizar essa visão de nos transformarmos daquilo que somos como indivíduos e sociedade em um determinado momento.

Existem inúmeras tragédias familiares. Tanto quanto triunfos. A maioria não é registrada, ainda que ou como obras e feitos que deles resultam continuem reverberando. Alguns superam as circunstâncias que não eram capazes de controlar enquanto cresciam e até mesmo as feridas mais graves que surgiam em seu caminho.

Eles, então, passavam a viver vidas que eram genuinamente criativas, significativas e acima de tudo decentes, livres de boa parte dos ressentimentos e, por conseguinte, livres de tudo aquilo que surgiu antes, não só mostrando que você consegue superar o seu passado, como também dar um novo significado a ele. Outros batem e queimam, tentam com todas as forças derrubar outros junto com eles.

De que forma você lida, como dizia Hamlet, com a "mágoa e os mil baques naturais que a carne herda"? No Ato 3, na Cena 1, Hamlet sustentou que o enigma humano primordial é "se na mente é mais nobre sofrer os altos e baixos da fortuna ultrajante, ou pegar em armas para enfrentar um mar de problemas". A escolha não precisaria ser uma ou outra coisa. Ou, pelo menos, dependeria do que significa "pegar em armas". Ao navegar na Scylla e Charibdis de tais choques e problemas, você não precisa sofrer sob uma resignação passiva e por consequência pegar em armas de uma maneira física. Em vez disso, pode considerar, da mesma forma como Veruch me ensinou, como aqueles que fariam coisas ruins também cometeram ou cometem atos dotados de algum bem para os outros em suas vidas, talvez isso inclua até você mesmo. Isso poderia estimulá-lo, mais do que nunca, a deixar o seu próprio legado de bondade para trás, com maior motivação e dever do que nunca antes – e fazê-lo parcialmente em nome de todos aqueles que não o fizeram, que não querem ou não podem.

Isso porque, na maioria das vezes, legados são um misto de coisas, e até mesmo os esforços mais bem intencionados para "fazer algo de bom" podem dar errado. Talvez as palavras, as obras e as ações de alguém só sejam capazes de serem julgadas ou avaliadas com o passar do tempo. Talvez até bastante tempo. Jamais em definitivo, de uma vez por todas.

Com seus amigos e companheiros mais íntimos, papai falava em termos que não eram dotados de quaisquer reservas e brios

– de uma forma que era difícil para ele fazer diretamente comigo – sobre o legado duradouro de bondade que ele acreditava que eu estava deixando no mundo. Permanece em mim uma sensação de alívio por saber que ele deixou este mundo se sentindo dessa maneira, ainda que eu não tenha certeza do que o meu legado pode significar. E eu sei disso: o que quer que eu tente realizar e que gere algum bem, eu também o faço em nome daqueles que tentaram fazer o correto, mas (pelo menos até agora) fracassaram: esmagar o meu espírito. Não ter tido a chance de me despedir do meu pai, isso ter me sido negado, é uma dor sem precedentes. Para alguém que sempre teve esperança de ter sucesso, como meu pai bem sabia, é simplesmente humano imaginar o que eu poderia ter feito com a recompensa financeira pela qual ele tanto trabalhou e por tanto tempo para me deixar de herança. Mas eu teria entregado, de bom grado, cada centavo dessa mesma herança de valor considerável apenas para poder dizer adeus a ele.

Não me deram a chance de ter essa escolha. Entretanto, isso foi algo que me estimulou a redobrar os meus esforços para deixar para trás marcas positivas. Mais do que nunca, eu quero fazer a minha modesta parte, do tipo que os feridos ambulantes fazem com uma determinação inabalável, para tornar o mundo das minhas filhas um lugar mais saudável e seguro não só para elas como para todas as outras crianças; ajudando assim a curar as feridas do mundo que podem ser evitadas. Eu tento fazer isso não só por mim ou por minhas próprias filhas, mas também em nome daqueles que estão machucados demais, inclinados demais a ferirem os outros, para deixar marcas carinhosas e amorosas para trás.

Encontro no escritório do irmão Cornel West

A imponente arquitetura gótica decorada do exterior da Harvard Divinity School contrastava com o seu interior mais aconchegante e acolhedor. Eu estava ali com o objetivo de me encontrar com o reverenciado estudioso, autor, ativista e intelectual público Dr. Cornel West. Em toda a minha vida, eu jamais conheci alguém que fosse mais cheio de amor e admiração, honestidade e integridade – tanto moral, quanto espiritual e intelectual – do que o irmão West, autor do clássico *Questão de raça*, que passou a ser mais relevante hoje do que quando foi publicado pela primeira vez em 1993, além de sua sequência, *Democracy Matters* (*A democracia importa*, em tradução livre).

Não só um cristão devoto da tradição profética judaica como também um praticante inveterado do modelo socrático de questionamento (com "suas vertigens ontológica e existencial") – Dr. West acreditava que cada tradição servia como um "corretivo" vital para a outra –, ele fazia a caminhada todos os dias, esvaindo-se por completo, a fim de criar um mundo que fosse mais aberto, amoroso, atencioso e compartilhado em todos os níveis. Caso ele venha a obter sucesso na empreitada, a nossa humanidade tenderá a ser do tipo sem fronteiras. Como testemunhei diversas vezes ao longo dos anos (quase uma década) que o conheço, o irmão West envolvia todos os seres humanos como sendo iguais, não importava idade, nível ou posição; ele sempre levava todos com quem estava engajado para a sua órbita, enquanto o tempo todo entrava totalmente na deles.

Eu havia chegado tarde na noite anterior vindo de Portland, Oregon, onde tive um compromisso logo depois da minha visita a San Cristobal de las Casas em Chiapas, no México. Houve um ataque com faca no sistema de transporte público dessa cidade e que deixou duas mulheres muçulmanas mortas, além de outra ferida. As tensões raciais e étnicas estavam em ascensão. Eis que me pediram para organizar um Sócrates Café sobre a ponte entre as divisões de raça e preconceito. Um professor, cheio de si, levou alguns dos seus alunos para o encontro. Quase logo no início, ele disse o seguinte: "Gostaria de poder passar todo o meu tempo matando os racistas brancos", um comentário que recebeu aplausos dos seus alunos e de alguns outros também. Como superar o racismo e os seus gêmeos malignos, o classismo e o elitismo, quando você não consegue ver que é mais parte do problema do que da solução? Os muros da divisão política entre os americanos atualmente são algo sem quaisquer precedentes. A palavra polarização não consegue fazer jus ao que está acontecendo no país hoje em dia. Alguém pareceu ter lido a minha mente: uma mulher se levantou e disse, com a voz trêmula e emocionada: "Sou uma forasteira aqui, de Ann Arbor. Eu estive lá em 1996, no dia em que uma adolescente afro-americana de 18 anos, Keshia Thomas, salvou um membro da Ku Klux Klan de ser espancado até a morte por 'progressistas', ele estava participando de um comício de supremacia branca. Não antes de terem rasgado a bandeira confederada dele e não o suficiente para ajudá-lo a fugir dali. Eles gritavam 'Mate o nazista' e começaram a espancá-lo. Quem sabe o que levou aquele membro da KKK a ser alimentado por um veneno tão odioso. Mas os progressistas eram igualmente venenosos". Ela olhou para o professor: "Então, enfie essa merda hipócrita na sua bunda antes de criar mais uma geração de assassinos". Ele estava com o rosto vermelho e silencioso, diante de aplausos altos e prolongados. Eu não conhecia Keshia Thomas, porém, depois desse episódio, eu aprendi muito mais sobre ela pesquisando a seu respeito na internet durante o meu voo que atravessou o país. "Alguém precisava ter saído daquele grupo e dizer: 'isso não está certo'", disse ela em uma entrevista que encontrei *on-line*. "Eu sabia o que significava ser ferido. As muitas vezes que isso aconteceu, eu gostaria que alguém tivesse me defendido... violência é violência – ninguém merece ser machucado, especialmente se o for por conta de uma ideia." Meses depois, Keshia Thomas recebeu a visita de um jovem. Ele contou-lhe que a pessoa cuja vida ela havia salvado era seu pai e que ele queria apenas agradecê-la do fundo do coração. Um estudante de jornalismo, que tirara uma poderosa fotografia da Sra. Thomas protegendo o racista de mais danos, disse: "Ela se colocou sob um risco físico para proteger alguém que, na minha opinião, não teria feito o mesmo por ela. Quem faz isso hoje em dia?".

Quem faz isso hoje em dia? Enquanto todo mundo permaneceu de braços cruzados ou simplesmente olhou para o outro lado – todos ali que não estava atacando o supremacista branco –, Keshia Thomas fez a coisa certa. Eu saí de Portland, Oregon, energizado e ao mesmo tempo preocupado porque muitos de nós continuam olhando para o outro lado, da mesma forma como fizeram na época de Sócrates, e com um compromisso redobrado de me manifestar sempre erros forem cometidos diante dos meus olhos.

É nesse momento e atmosfera que cheguei para o meu último encontro com o irmão West. O grande intelectual e humanista dedicou a sua vida a enfrentar e superar os elementos do eu e da sociedade que nos impedem de viver, de amar sem fronteiras; Cornel West queria nos libertar e enfatizava que cada um de nós possui uma função e uma responsabilidade para fazer isso acontecer. Conforme ele inigualavelmente aborda em *Questão de raça*:

> Ser um lutador da liberdade do jazz é tentar galvanizar e energizar as pessoas cansadas do mundo em formas de organização com uma liderança responsável que promova a troca crítica e a ampla reflexão. A interação entre individualidade e unidade não é de uma uniformidade e uma unanimidade que são impostas de um lugar superior, mas do conflito entre diversos agrupamentos que chegam a um consenso dinâmico que é sujeito a questionamentos e críticas. Da mesma forma como acontece com um solista em um quarteto, quinteto ou banda de jazz, a individualidade é promovida unicamente para sustentar e intensificar a tensão criativa com o grupo... esse tipo de sensibilidade crítica e democrática se opõe a qualquer policiamento de fronteiras e limites de "negritude", "masculinidade", "feminilidade" ou "brancura".

Eu cheguei cedo ao consultório do Dr. West para o nosso último encontro. Ele ainda mantinha o horário de expediente para os seus alunos. Um deles estava ocupando o banco de madeira do lado de fora de seu escritório. Quando o jovem sentado no meio do banco me viu, rapidamente fechou os vários livros que abrira de cada um dos lados dele, recolheu-os e empilhou-os no chão. Ele então se moveu para uma das extremidades do banco e gesticulou para que eu me sentasse.

Assim que me sentei, ele se levantou e apertou a minha mão vigorosamente. "Eu sou Kagiso", disse. "É um nome zulu. Significa 'paz.'" Kigaso então me contou que aquele era o segundo dos três anos como estudante de graduação em teologia.

Ele então foi direto ao ponto: "Quem é você? Como conhece o Dr. West? Por que está aqui?".

Eu não poderia ter deixado de contar que eu era autor de uma trilogia de livros sobre as minhas aventuras e desventuras organizando Sócrates Cafés pelo mundo quando ele me interrompeu: "Eu li um dos seus livros!". Os olhos do estudante estavam quase tão arregalados de espanto quanto os meus. "*Você* é Christopher Phillips. Li seu livro *Socrates in Love* (*Sócrates apaixonado*, em tradução livre) depois que o Dr. West me contou sobre isso." Ele novamente aperta a minha mão, de forma ainda mais vigorosa, se isso fosse possível.

"Nesse livro, você escreve sobre os diálogos que teve na África do Sul. Sabe, seus encontros com as pessoas de Soweto, próximo de onde eu sou, dão esperança às pessoas de lá", Kigaso me disse. "Não estou surpreso com o quão acolhedor as pessoas em Soweto foram com você. Muitos sul-africanos negros, especialmente os do gueto, nunca se relacionam com pessoas brancas - sul-africanos brancos, muito menos americanos brancos - que os visitam de bom grado, para se encontrarem com eles e aprenderem da mesma forma como você fez.

"Você viu por conta própria os níveis de extrema pobreza e de riqueza - ricos e pobres vivendo lado a lado. Você aborda os mais pobres com tanta humildade. Deixa claro que não tem segunda intenção a não ser fazer questionamentos junto com eles, ouvir, aprender. E assim as pessoas baixam a guarda. Você sabe, negros sul-africanos, desde que que Nelson Mandela foi solto da prisão em Robben Island em 1990, depois de 27 anos preso lá - ele disse que precisávamos nos tornar 'uma nação arco-íris pacífica consigo mesma e com o resto do mundo' -, vêm procurando oportunidades para os brancos os visitarem e verem como eles vivem. É tão importante os brancos saírem de suas zonas de conforto para a dos negros.

"Os diálogos feitos em rodas de conversa que vocês mantêm são muito semelhantes às nossas tradições tribais democráticas originais que envolvem a todos e exigem que os participantes digam não só aquilo que pensam, como também por que pensam aquilo que fazem. Nós não o chamaríamos de 'socrático', mas tem relação.

"A única coisa que falta ao mundo é o conhecimento da mitologia africana. Todos sabem sobre mitologia grega, o Império Ocidental, Asiático, até aí tudo bem. No entanto, a única coisa que está faltando é aquilo que *você* relata em seu livro, Christopher Phillips: a reunião de sul-africanos ao redor da fogueira, membros tribais reunidos para contar histórias, compartilhar sabedoria, transmitir conhecimento ancestral.

"Logo, quando você mesmo, alguém que tem cidadania grega e americana, chega a um lugar como Soweto, para onde os pobres de tantas províncias afluem buscando oportunidades financeiras, quando você chega ali da forma como chega e como é, para analisar questionamentos conosco, você emula as nossas próprias tradições, extrai isso do nosso bem-estar, da nossa própria experiência já vivida. Você extrai as nossas histórias da nossa medula, a que conta sobre quem somos e o que somos. Isso é significativo demais."

Então Kagiso seguiu dizendo: "Aqui no programa de pós-graduação, eu estou estudando as religiões do mundo. É uma alegria aprender todos os dias com o Dr. West, ter essas conversas incríveis com ele sobre James Baldwin, W.E.B. Du Bois, Lorraine Hansberry, Rabbi Abraham Joshua Heschel, Dr. Martin Luther King Jr., Malcolm X.

"Isso me inspira ainda mais. Quando eu voltar para a África do Sul, continuarei desafiando e revolucionando o currículo educacional de lá. As universidades sul-africanas têm problemas endêmicos quanto à igualdade de acesso a elas. Nós lançamos um movimento na África do Sul chamado *#FeesMustFall* [#MensalidadesPrecisamAcabar, em tradução livre]. Um dos elementos-chave desse protesto no país que tanto amo é a descolonização da educação. É tão importante que as pessoas um dia oprimidas aprendam sobre a sua própria história. Porém, desde o desmantelamento do *apartheid*, o nível de desigualdade educacional persiste, da pré-escola ao jardim de infância, ao ensino médio e depois às universidades privadas. Tudo ainda é muito segregado por raça e por classes."

Absorvi cada uma das palavras do monólogo sincero e quase sem fôlego feito por Kigaso. Até que ele mudou de assunto e disse: "Como você conhece o Dr. West?".

Disse-lhe, então, que eu e o irmão West, chamado carinhosamente dessa forma não só por mim como também por tantos, íamos gravar uma conversa rápida para um programa sem fins lucrativos que tenho e que faz parte do nosso Sócrates Café da Democracia. Compartilhei com Kigaso até o fato de que certa vez, alguns anos atrás, quando eu era um pesquisador sênior da Universidade da Pensilvânia e lecionava em um curso desenvolvido sobre "Método socrático e democracia", eu usei o *Democracy Matters* (*Democracia importa*, em tradução livre) do Dr. West como texto principal, juntamente com leituras selecionadas de seu *Questão de raça*. Eu escrevera ao irmão West perguntando se ele poderia falar com os meus alunos sobre as suas obras por meio de uma videoconferência. Passada uma semana, eu recebi um telefonema. Era do temido "Número desconhecido". Como regra própria, eu nunca atendo essas ligações, que são quase sempre de telemarketing. Mas, por algum motivo, fui levado a atender, talvez porque era o primeiro aniversário da morte de meu pai; não sabia o real motivo.

"Quem fala é o irmão Christopher Phillips?"

Aquela voz era inconfundível – sonora, porém de alguma forma quase cadenciada, como se estivesse prestes a começar a cantar a qualquer instante. "Quem é, o irmão Cornel West?"

"Sim, ele mesmo". Aquele era o principal filósofo da nossa nação, as suas palavras escritas e faladas eram uma mistura memorável de jazz, poesia, contemplação profunda, paixão pelo que era justo e bom, além de uma capacidade insuperável de estabelecer conexões entre tradições de conhecimento das mais duradouras de formas que inspiravam todos a serem a mudança que queriam ver no mundo de forma geral. Dr. West então me disse que ficaria feliz e honrado em aceitar o meu convite para conversar com os meus alunos – mas não o faria por meio de videochamada; em vez disso, ele propôs passar um dia inteiro na nossa companhia, pessoalmente, além de também ter se oferecido para fazer parte de uma reunião da comunidade em Penn e da de Filadélfia. Nós combinamos um encontro e foi isso.

Os meus alunos haviam ficado tão incrédulos quanto eu diante do fato de que o irmão West nos faria uma visita, pagando as despesas de seu próprio bolso para passar um dia inteiro conosco. Dois meses depois daquela ligação, ele chegou no início do dia de Princeton e deu cada gota de si mesmo para os compromissos que organizara entre ele e meus alunos, a comunidade de todo o *campus* e os habitantes da própria cidade da Filadélfia. As trocas feitas com o Dr. West quanto ao conteúdo que faziam nossos corações vibrarem, sobre Sócrates, responsabilidade social, questões de raça e democracia, como era vital para todos nós estarmos continuamente dispostos a desafiar as nossas próprias suposições e preconceitos.

Eu disse a Kigaso que, até hoje, esse presente dado pelo irmão West a centenas de nós durante a sua visita à Filadélfia teve um valor inestimável e que essa havia se provado apenas a primeira ocasião na qual esse ser humano, doando-se como nenhum outro, materializou tamanhas trocas de conhecimento comigo. Dr. West e eu desde então mantivemos contato próximo. Jamais conheci uma pessoa mais genuína e despretensiosa ou alguém mais imbuído de empatia e humildade – e que, pelo menos até onde eu saiba, não tenha nenhuma gota sequer de ódio em seu corpo – do que este homem cujas obras viverão por muito tempo depois, como ele mesmo poderia dizer, "nos tornamos o deleite culinário dos vermes terrestres".

O que não compartilhei com Kigaso foi o fato de que a minha lembrança mais duradoura e querida daquele dia mágico na companhia do irmão West na Filadélfia foi quando compartilhamos um momento a sós comendo e bebendo juntos; ele me pegou desprevenido quando me disse com sentimento e naturalidade: "Você está sofrendo, meu irmão".

Antes que eu pudesse perceber, já estava contando a ele a tragédia envolvendo meu pai e a sua morte.

O irmão West se levantou, se aproximou de mim e me deu um abraço apertado. Algum tempo depois, ele disse: "Nunca pare de amar essa pessoa sobre quem você está me falando, meu irmão. Existem aqueles que espiritualmente não recebem o tipo de amor que deveriam dentro de suas próprias famílias, comunidades e sociedades maiores. Nunca se esqueça da definição de amor de Dostoiévski em *Os Irmãos Karamazov*: 'O inferno é o sofrimento da incapacidade de amar'. Essas pessoas pensam em si mesmas como sendo tão inúteis, como não sendo dignas de amor.

"Conhecemos muitas pessoas que se saem bem financeiramente, mas que ainda assim se odeiam e vivem em um inferno psíquico, embora tenham todas as coisas materiais que são possíveis de se ter. Também conhecemos inúmeras pessoas que são espiritual e culturalmente ricas, mesmo sendo tão falidas quanto os Dez Mandamentos financeiramente falando."

E então ele continuou: "Perceba o que você faz, irmão Chris. Está ajudando as pessoas a aprenderem a amar – a si mesmas e aos outros. Você cria amores com os seus encontros do Sócrates Café. Nem mesmo o próprio Sócrates jamais derramou uma lágrima sequer, Jesus nunca riu. Dois dos nossos maiores professores da virtude. No entanto, você criou um espaço em que as pessoas podem fazer essas duas coisas e muito mais".

Durante o resto do dia, sem qualquer pausa (quase nem mesmo para tomar um gole de água), o Dr. West envolveu os meus alunos, todo o *campus* e a comunidade da Filadélfia em uma série de trocas de ideias sobre Sócrates, democracia e responsabilidade social. Testemunhar a forma como ele se dedicou inteiramente naquele dia em sua missão de fazer do nosso mundo – por meio de exemplo pessoal íntimo complementado por sua escrita e ativismo crescentes – um lugar mais atencioso e conectado foi uma experiência indelével para todos.

Naquela noite, antes de retornar à sua casa em Princeton, o Dr. West e eu nos retiramos brevemente para o prédio onde fica o meu escritório. Ele se colocou na frente da varanda, respirando o ar da noite, como se estivesse em meio ao campo. Ele me lembrou de uma cena de um dos diálogos de Platão, na qual Sócrates está parado na varanda de um vizinho, permanecendo ali por um momento alheio a tudo, a todos. Seu motorista eventualmente se aproximou de nós e disse: "Dr. West, agora precisamos ir embora".

Depois de mais um abraço, Cornel West me disse: "Lembre-se, irmão Chris, lembre-se sempre, de que parte da vida após a morte do seu pai está na sua própria vida abençoada".

Desde aquele primeiro encontro com o irmão West, nunca me permiti ser tão cativo de ressentimentos, raiva ou de animosidade excessiva. Em vez disso, venho focando minha intenção, mesmo enquanto continuo me esforçando para colocar determinadas coisas em ordem, em amar mais do que nunca aqueles repletos de malícia e autoaversão, que eles mesmos são incapazes de amar.

Já fazia oito anos desde aquela experiência com o irmão West na Filadélfia e ainda me vi conversando com Kigaso do lado de fora de seu escritório. Naquele mesmo momento, enquanto eu estava imerso na digestão de tudo aquilo, Cornel West em carne e osso emergiu de seu escritório. Nós compartilhamos um abraço. Ele mostrou-se satisfeito ao ver Kigaso e perceber que, logo de início, já tenhamos nos dado bem. Ele disse ao seu aluno: "Parte da estrutura do que eu estava tentando fazer em *Questão de raça*, *Democracy Matters*, é tão parecida com o trabalho que o irmão Christopher vem fazendo já há tantas décadas em termos de divulgação e escrita. As formas por meio das quais o seu chamado e o meu próprio chamado se sobrepõem tão profundamente – isso nos torna mais do que amigos: irmãos; isso faz de nós companheiros na busca pela sabedoria e companheiros na busca pela justiça, da verdade, bondade e beleza".

Então, o irmão West disse: "O irmão Chris é um amante exemplar da sabedoria, da justiça, da bondade, da beleza – um ser humano livre e autônomo. Ele tem a coragem de amar. Não peça permissão a ninguém quanto a quem você ama, isso é algo que flui das profundezas da sua alma". Ele me ofereceu um olhar conhecedor, com um misto de bondade amorosa, era como se lembrasse da nossa conversa durante o almoço na Filadélfia, das suas palavras de despedida para mim um tempo depois naquele mesmo dia, tantos anos atrás.

Quando se trata de pérolas duradouras de sabedoria, entre um embaraço de riquezas, Cornel West escreveu o seguinte em *Questão de raça*:

> Nestes tempos pessimistas, nós precisamos não só de esperança e coragem, como também de visão e análise; devemos destacar o que há de melhor uns dos outros... estamos em uma encruzilhada crucial na história desta nação – ou nos unimos a fim de combater essas forças que nos dividem e nos degradam ou nos enforcamos individualmente. Temos inteligência, humor, imaginação, coragem,

> tolerância, amor, respeito e vontade para enfrentar esse desafio? Nenhum de nós sozinho é capaz de salvar a nação ou o mundo. Porém, cada um de nós pode fazer uma diferença positiva caso nos comprometamos a fazê-la.

O próprio irmão West podia até odiar a indiferença, os atos específicos; porém ele é a encarnação viva de uma pessoa que não odeia ser humano nenhum, não importa o que esse alguém tenha dito ou feito. Ele estabeleceu os padrões mais elevados – graças ao seu exemplo, eu me inspiro e me disponho a assumir um compromisso renovado todos os dias quando acordo, o de me esforçar para ser alguém cheio de amor, sem ódio – para moldar a mudança que eu quero ver no mundo em geral por meio do exemplo pessoal, um mundo que clama para ser mais amável para todos, mais habitável para todos.

A pedra filosofal

Eu estava na "minha pedra". Plana, coberta de musgo, expansiva, ela se projetava para fora de um pequeno lago na extensão de uma estrada rural, a muitos quilômetros do vilarejo do sudeste do Maine, onde eu morava. Era localizada no coração da região dos lagos do Maine. Por bastante tempo, havia sido a meia-irmã das aldeias ainda mais pitorescas de Pine Tree State, ao longo da costa rochosa, foi ali que iniciei a minha vida de escritor e docente.

Depois da minha última visita a Cornel West, eu fiz a viagem de trem de duas horas de duração de Boston até Portland, em seguida aluguei um carro para dirigir por mais uma hora até a região dos lagos. Até cerca de uma década atrás, essa área era pontilhada com um lago depois do outro. Então, a interminável expansão econômica nos EUA por fim estendeu seu alcance para aquela área rural – com exceção nos meses de verão, quando moradores de cidades com segundas residências na região se aventuravam ali, da mesma forma como crianças e jovens que frequentam os vários acampamentos naquela área – principalmente a parte pobre da Nova Inglaterra. Isso gerou uma explosão de construções de conjuntos habitacionais e complexos de condomínios além dos limites da cidade incorporada. Proprietários locais que estavam entre os tipicamente mais abastados nas regiões metropolitanas de Boston e Nova York estavam dolorosamente deslocados.

Contudo, a minha pedra em si parecia exatamente a mesma de quando havia me deparado com ela décadas atrás. Com cerca de quatro metros de circunferência, tinha mais ou menos a forma de um paralelogramo, com duas extremidades recortadas e duas lisas, e uma grande e convidativa extensão plana. Ela serve quase que ao mesmo propósito de um promontório, proporcionando uma visão panorâmica da região. Entretanto, o lago em si era de um tom esverdeado um tanto doentio. Nos meses em que o clima estava bom para longas viagens, entre o final da primavera e o meio do outono, muitos passaram a lotar o lugar com seus *jet skis* e lanchas. Porém, durante os meses em que o lago fica congelado, e outras vezes em que os residentes durante o ano, em sua maioria, eram os únicos ali, você ainda podia sentir como se tudo fosse certo com este mundo thoreauano*. No auge do inverno, os moradores ainda levavam pequenas barracas caseiras para o meio, abrindo um buraco no gelo e pescando em riachos e lagos truta marrom, truta-arco-íris, salmão de água doce, robalo de boca grande e pequena, perca e lúcio.

Mesmo quando não era o auge do inverno e o lago não estava congelado, havia momentos nos quais se podia se aventurar na minha pedra - como naquele dia, no meio da semana, bem no final do inverno, quando o clima estava gelado, porém maleável - e experimentar o silêncio absoluto enquanto se observa o lago e para dentro de si mesmo. Essa pedra continuava sendo para mim um lugar para onde eu era atraído ao longo das décadas sempre que estava em uma encruzilhada, um limiar ou precipício na minha vida. É o lugar onde sempre pude me manter no hoje, no ontem e no amanhã ao mesmo tempo, completamente presente, ainda que não estivesse totalmente *no* presente.

Com o passar do tempo, enquanto eu me sentava ou deitava na pedra, sua magia me acompanhava e eu me transportava. Não para longe do tempo, da mente ou do corpo, apenas para um outro lugar. Honestamente, eu nunca fui capaz de discernir onde exatamente seria esse lugar, apenas o fato de que eu não ficava ali por inteiro. Quando estava sob seu domínio, via-me em um estado de admiração e capricho, de estar ali e acolá e ao mesmo tempo em toda parte, um lugar que tinha pouco ou nada a ver com manter um pensamento deliberado e meditar, ou, talvez até por outro lado, com um não pensamento deliberado. Não era uma fuga tanto quanto era um encontro com o ser, a quietude e o inefável, muito distante do tipo de atenção contemplativa que sempre caracterizou a atenção plena.

---

* Referência a Henry David Thoreau, historiador e abolicionista estadunidense.

Aquele era o meu lugar para estar, acima de tudo para ficar em silêncio, quieto. Era ali que o meu *daimon* vinha à tona, de uma forma espontânea. Tamanha era a magia da minha pedra filosofal.

J.K. Rowling concordou com o pedido de sua editora norte-americana para mudar o subtítulo do seu primeiro livro da saga literária *Harry Potter e a Pedra Filosofal* em inglês para *Pedra do Feiticeiro.* No entanto, aquela pedra filosofal era bastante mágica – ao contrário de um feiticeiro, ela já foi considerada real por alguns dos cientistas mais respeitáveis da história. Da Idade Média até o século XVII, deu-se a busca para descobrir "a pedra filosofal". Contava-se que ela tinha a capacidade de converter metais comuns como ferro, estanho, chumbo, zinco, em preciosos, como ouro e prata. Além disso, ela também tinha a fama de curar as doenças mais graves, servir como fonte medicinal da juventude contida nela e era capaz de reverter o processo de envelhecimento; sendo o santo graal dos santos graais, ela até mesmo conferia o dom da imortalidade. O próprio Sir Isaac Newton, acompanhado por Roger Boyle, fundador da química moderna, por razões desconhecidas – essas características da pedra deveriam ter sido bastante convincentes para que tais renomes acreditassem na existência dela – estavam entre aqueles que procuravam por ela com diligência. O problema e o desafio eram o fato de que se dizia que a pedra filosofal se parecia com qualquer outra de suas irmãs do tipo mais comum, logo, a única maneira de descobrir a verdadeira era moendo um pedaço e testando-o em laboratório. E assim eles fizeram, mas em vão, da mesma forma como milhares de outros cientistas, jamais encontraram a escolhida.

Quem sabe, talvez aquela pedra sobre a qual me sentei diversas vezes no Maine tivesse tais propriedades. Talvez eu sempre estive no cume do filão das pedras filosofais. E eu sabia disso: afinal, as minhas habilidades de ser e não ser eram intensificadas ali. Essa massa de minerais rígidos e compactos na qual eu me sentava era feita sob medida para um retardatário, alcoólatra e maconheiro como eu. A minha decisão de me mudar para o Maine e começar a minha vida adulta como professor de alfabetização do ensino médio em uma escola de seis salas no vilarejo de Casco e repórter de jornal em tempo parcial para o *Bridgton News* não foi projeto de retiro do mundo e suas preocupações mundanas. Contudo, naquela época eu não percebia que isso me familiarizaria com o meu *daimon*. E então, logo depois de me formar na faculdade, eu me mudei para o norte, para o Maine. Aquela havia sido a primeira vez que tive opção sobre para que rumo seguir. Durante toda a minha infância e juventude, eu tive pouca escolha que não fosse ir para o Sul com minha família – de Newport News, Virgínia, para Tampa, na Flórida. Ir para o Norte foi um ato de rebeldia da minha parte.

Eu fui até aquele local com o propósito de descobrir e conhecer a minha pedra cerca de uma semana depois de chegar ao Maine. Deparei-me com ela durante uma viagem sinuosa. Tive um vislumbre da pedra enquanto passeava a bordo do meu Ford Pinto 1974 verde-oliva com quase 260 mil quilômetros rodados. Ao longo de um dos lagos menos atrativos, a pedra acenou para mim. Dei uma olhada duas vezes e simplesmente parei, coloquei meu carro em marcha à ré e o estacionei no leito estreito coberto de cascalho ao lado dela.

Eu apenas saltei para cima da extensão plana e analisei meus entornos. E ali eu sentei. Acariciei a pedra. Escrevi no meu diário o que eu estava sentindo, ela era levemente quente ao toque, de alguma maneira um pouco suave, acolhedora. Aqueci-me em silêncio. E sob essa quietude e beleza, em algum momento uma voz me encontrou – uma que eu reconhecia, mas com a qual não tinha muito contato desde a infância, quando passeava sozinho no barco da família pelo rio Warwick. Sócrates teria chamado aquela voz de meu *daimon*.

Em *Apologia*, Sócrates caracteriza o seu *daimon* como sendo a voz que lhe dizia justamente o que *não* fazer:

> Muitas vezes, você me ouviu falar sobre um oráculo ou sinal que vem até mim, e isso é a divindade... este sinal recebo desde criança. É uma voz que vem até mim e sempre me proíbe de fazer algo que estou prestes a fazer, mas ela nunca me manda fazer nada.

Com uma única exceção, eu também descobri que esse é o caso quando se trata do meu próprio *daimon*. Ele reaparecia, ou ressurgia, quase todas as vezes em que eu voltei àquela pedra ao longo das décadas.

Quando eu era professor de leitura em uma escola pública composta apenas por seis salas de aula em Lakes Reader, tinha entre 35 e 37 alunos por turma - era um total de sete turmas - cada uma delas tinha habilidades de aprendizado bastante diferentes entre si, muitas com contextos familiares difíceis, se não horrendos. A atividade mais significativa que eu costumava preparar para eles eram as nossas pesquisas socráticas semanais. Eu me deparava com isso em parte por desespero e em parte por inspiração. Os nossos questionamentos faziam com que todos oferecessem apoio uns aos outros. Os alunos que tinham baixo desempenho durante as tarefas tradicionais em sala de aula finalmente passaram a ter a chance de brilhar com seus floreios retóricos incomparáveis, a ponto de, com o passar do tempo, sentirem-se mais como membros de uma comunidade de aprendizagem de semelhantes, não importava que tipo de tarefa assumissem. Com isso, eles se tornaram mais inspirados a desenvolverem seu conjunto de aprendizado mais formal - não só na minha aula como nas outras aulas que eles tinham - de escrita, desenho, ciências sociais e exatas, história, o que quer que fosse. Eles perceberam, por conta própria, que, conforme ficavam cada vez mais imersos nessas disciplinas, mais aptos eles ficavam para fazerem contribuições impressionantes durante as nossas análises socráticas. O melhor de tudo era que eles estavam esculpindo aquele importantíssimo "quarto R" – o raciocínio.

Já bem próximo do fim do ano letivo, no final de um dia de aula, um dos meus alunos permaneceu na sala. Nós havíamos tido uma discussão socrática naquela tarde sobre a pergunta: "Quando você deve contar um segredo?", questionamento esse que surgiu com a leitura de um capítulo de um romance que abordava esse tema. A minha aluna, Melinda, ou Mindy como ela gostava de ser chamada, de 12 anos de idade, disse-me então que se questionava se deveria ou não compartilhar um segredo – do tipo que ela foi instruída a não revelar sob nenhuma circunstância. Contou-me que as duas únicas pessoas com quem ela poderia se sentir à vontade para compartilhá-lo éramos eu e uma colega minha, uma mulher que lecionava na escola havia mais de duas décadas e que se tornara amiga minha. "Você contaria para outra pessoa se eu lhe contasse?" ela perguntou, ansiosa. "Não sei", respondi. "Depende do que você me disser." Ela pensou sobre o que eu disse e então saiu da sala. Pouco tempo depois, a minha colega de trabalho veio me ver. Melinda havia atravessado o corredor da minha sala para a dela a fim de compartilhar o tal segredo. Minha amiga e eu contatamos os serviços sociais imediatamente.

Não havia nenhum final justo para aquilo. O padrasto foi preso, no entanto, a mãe de Mindy a culpou por ter "contado". Ela chegou a acusar a filha de destruir a família. Melinda foi colocada em um lar de adoção.

Eventualmente, eu acabei retornando a Virgínia depois que o meu pai havia feito a primeira cirurgia de coração aberto e ali me tornei jornalista de várias revistas nacionais respeitadas; o meu ponto forte era escrever sobre "heróis anônimos", pessoas que em suas comunidades se dedicavam a tornar as condições ali mais férteis e promissoras para aqueles que viviam sob circunstâncias sombrias. Mindy e eu mantivemos contato, e minha ex-colega de trabalho sempre me mantinha a par do que estava acontecendo em sua vida. Aos 15 anos, Mindy se mudou para a cidade de Portland, onde morou em um abrigo e trabalhou para concluir seus estudos no ensino médio. Quando eu voltava ao Maine, às vezes eu a encontrava acompanhada por uma multidão um tanto rude. Certa vez, levei dois dias para encontrá-la. Quando finalmente a achei, levei Mindy, na época com 16 anos, até a minha pedra. Aquela havia sido somente a segunda ocasião na qual eu voluntariamente tive companhia ali.

Mindy não disse nem uma palavra sequer ao chegar na pedra naquele dia. De início, ela não estava com vontade de estar ali, porém, por respeito a mim, ela se sentou em silêncio ao meu lado. Eventualmente, ela começou a respirar profundamente e apenas ser. Casualmente, ela me disse que o seu objetivo, mais do que nunca, era se tornar enfermeira. "Quero ajudar os outros a se curarem. Mas acho que eu sou meu próprio obstáculo no caminho rumo ao sucesso." E ali mesmo nós traçamos um caminho para que ela realizasse um sonho e superasse todos os obstáculos, fossem eles psicológicos ou práticos. Durante seus últimos dois anos na escola, Mindy tirou notas excelentes mesmo nas aulas de ciências avançadas. Até que ela foi aceita em um programa da escola de enfermagem em Portland. Ela estava no caminho rumo ao sucesso.

Eu sempre dava um jeito de voltar ao Maine pelo menos uma vez por ano, para ver Melinda e oferecer a ela o apoio que eu pudesse, mas também para visitar a minha pedra. Cada vez que eu viajava para vê-la, ela me servia como uma espécie de marcador, uma lupa para o meu caráter, para a minha natureza, para em que ponto eu estava na vida. E quase sempre o meu *daimon* retornava.

A minha pedra imutável trazia à memória as visitas ao Museu de História Natural de Holden Caulfield de *O apanhador no campo de centeio*, de J.D. Salinger. Repetidamente, Holden revisitava suas exposições prediletas, como aquela com esquimós pescando e pássaros voando, congelados no tempo, sempre fazendo os mesmos movimentos. A cada visita, ele encontrava as obras expostas tão inalteradas quanto eu me deparava com a minha pedra toda vez. Como dizia Holden,

> Entretanto, a melhor coisa naquele museu era que tudo sempre ficava exatamente onde estava. Ninguém se mexeria. [...] Ninguém ficaria diferente. A única coisa diferente ali seria você mesmo.

O que era mais comovente e perturbador para mim, nessa última visita ao museu relatado por Holden, foi o fato de que quando ele chegou à porta, diferente de todas as visitas anteriores, ele não entrou: "[Uma] coisa engraçada aconteceu. Quando cheguei ao museu, de repente eu não teria entrado nem se me pagassem um milhão de dólares".

Eu recebia cartas frequentes de Mindy. A sua mais recente era majoritariamente otimista, ainda que no fim ela tenha contado que namorava há dois anos – seu primeiro relacionamento sério, ela dissera em uma correspondência anterior –, mas que o rapaz havia terminado com ela. Ela escreveu, quase que de uma maneira improvisada, que ele havia partido seu coração, mas que ela descobriria uma maneira de se recuperar. Isso foi na primeira semana de outubro de 1993. Na semana seguinte, certa noite, Melinda tentou entrar em contato comigo várias vezes por telefone. Naquela época, não existia celular. Quando cheguei em casa naquela mesma noite, depois de uma madrugada de trabalho, meu identificador de chamadas mostrava que ela havia ligado e tentado entrar em contato comigo mais de vinte vezes. Apertei o botão para ouvir as mensagens deixadas na caixa postal. A cada nova mensagem um segundo ou dois de silêncio, até chegar naquela que ela simplesmente desligou.

Eu liguei para ela durante a noite inteira. Por volta das quatro horas da manhã, recebi uma ligação da minha amiga e ex-colega da escola de anos atrás. Melinda estava morta. *Overdose* de drogas.

Outras sete pessoas além de mim compareceram ao seu funeral. Eu só conhecia a minha ex-colega de trabalho. Todos estavam perturbados; eles a amavam muito. Assim como eu, perguntavam-se o que poderiam ter feito. Nenhum deles percebera que Melinda havia chegado em um ponto de ruptura em sua vida depois que seu namorado terminara com ela. Eu não cheguei a compartilhar com eles o fato de que Melinda tentou em vão entrar em contato comigo na noite em que tirou a própria vida. Aquilo excedia ao que eu era capaz de suportar. No dia seguinte, depois de lamentar em seu túmulo, aventurei-me a ir até a pedra. Assim que cheguei, passei direto. Eu nem sequer pisei no freio do meu carro alugado. Naquele dia, eu não teria saído do carro e subido naquela pedra nem mesmo que me pagassem um milhão de dólares. Eu estava sob um estado bastante agitado, sem disposição alguma para ser receptivo aos presentes que ela poderia me proporcionar.

No outono seguinte, eu retornei. E dessa vez fui mais receptivo. Uma vez sentado na pedra, peguei o meu diário de todos aqueles anos atrás. Ainda havia páginas em branco. Escrevi um novo plano de vida. Pela primeira e única vez, o meu *daimon* me disse exatamente o que fazer. O suicídio de Melinda explodiu obstáculos autoimpostos sobre aquilo que eu poderia fazer com o tempo que me restava nesta Terra. Eu me afastei da minha aspiração de viver como Sócrates. Três anos depois da morte de Melinda, no dia 9 de outubro de 1996, eu inaugurei o Sócrates Café em uma cafeteria em Montclair, Nova Jersey.

Hoje, quase quatro décadas desde o meu primeiro encontro com a pedra, eu estava de volta. Tantos anos se passaram, o período mais longo entre as minhas visitas. Cerca de dez minutos depois de chegar à minha pedra e me acomodar nela, eu encontro – ou melhor, eu sinto – ao meu lado as duas únicas pessoas que já haviam me acompanhado até ali: Mindy e meu pai. Na única ocasião em que papai me visitou durante os meus anos morando e trabalhando no Maine, eu o levei até ali. Fiquei feliz por ele ter se esforçado para ter ido me ver, mas havia tensão no ar, pelo menos da minha parte. Senti que ele achava que meu tempo vivendo e trabalhando no Maine não passava de um interlúdio na minha vida profissional. Eu era a sua grande esperança grega. E eu não sabia de que forma começar a justificar para ele as decisões que eu estava tomando naquele momento. Contei sobre os questionamentos socráticos que estava organizando nas minhas aulas. Ele conseguiu soltar um sorriso – era apenas a minha imaginação o fato de que aquele sorriso parecia forçado, mascarar uma decepção oculta? Então ele disse algo surpreendente: "Continue seguindo o seu próprio caminho na vida, Philip". Papai era o único que me chamava de Philip, nome de seu pai e meu primeiro nome. "Eu nunca fiz isso. Eu não consegui enfrentar a minha mãe. Eu sempre quis ter uma mercearia-café. Quando contei a *Yaya* sobre o meu sonho, a reação dela não foi... agradável. Fiz o que ela me orientou a fazer profissionalmente. Tudo o que ela me dizia para fazer era lei. Eu amo o meu trabalho, hoje eu absolutamente amo o que faço, não me entenda mal; mas não é aquilo que eu teria escolhido. Continue seguindo o seu próprio caminho e não olhe para trás." E assim, ali, o meu relacionamento com o meu pai mudou. Vez ou outra nós ainda tínhamos diferenças acentuadas, porém, passamos a ser mais como iguais que se amavam e até mesmo se reverenciavam.

Um garoto aparece do nada. "Eu moro perto da estrada a alguns quilômetros daqui", diz ele. Se não estou enganado, ele pareceu primeiro ter falado com as minhas imagens conjuradas de papai e Mindy antes de elas partirem e desaparecerem rumo ao desconhecido. Ele estava segurando uma vara de pescas e carregava várias iscas de mosca em seu colete de pesca. Ele também carregava um balde com um pouco de água, presumi que fosse para armazenar qualquer peixe que viesse a pegar.

Ele então saltou direto para a minha pedra. "Você se importa se eu pescar com mosca aqui? Este é o meu lugar favorito."

O garoto se senta do outro lado, educado ao extremo, dando todo o meu espaço para mim, mesmo eu não estando muito a fim de sua presença ali. "Você quer ficar sozinho", ele disse. "Eu estou invadindo o seu espaço. Mas ter companhia não faz mal a ninguém – diabos, eu talvez quisesse companhia – mesmo se não conversarmos. Minha mãe sempre me diz que você não deve ficar sozinho quando está chateado."

Ele estava falando de mim ou dele mesmo?

Pela minha reação, era fácil dizer que ele conseguiu ver dentro e através de mim. "A minha mãe diz que eu sou uma criança índigo." Sabe-se que as crianças índigo são mais sintonizadas com o sofrimento dos outros, são pensadores livres detentores de uma visão surpreendente dos outros, almas que são espiritualmente dotadas.

Eu apenas sorri. "É assim que a minha esposa descreve a nossa filha mais nova. Ela também a chama de alma velha, diz que a faz lembrar de uma criança que nós conhecemos em um lugar chamado Chiapas, no México – alguém que eu tinha visto pela primeira vez em anos, aliás, não muito tempo atrás. Mas ela já não é uma criança. Agora ela tem a própria criança dela."

E eis que eu me surpreendi ao me dar conta de que estava feliz por sua companhia. Ele então começou a pescar agachado do outro lado da rocha. Ele sacodia sua linha de pesca repetidamente, estendendo-a ainda mais para dentro do lago. Às vezes, a linha passa a poucos centímetros acima da minha cabeça, mas ele fazia aquilo com tanto esmero que não senti receio de que algo fosse ocorrer. Até que, por fim, ela chegou no ponto exato do lago que ele queria, uma área sombreada a cerca de vinte metros de distância de onde estávamos. "É ali onde estão as trutas", disse ele confiante.

Vez ou outra ele jogava uma conversa fora. Ele me contou que sua mãe e seu pai eram donos de um pequeno hotel local. Disse que, embora todos tenham nascido e sido criados naquela região, alguns moradores não os tratavam tão bem porque a sua família era originária do Líbano e a sua pele era mais escura que a da maioria. Então, contei-lhe que a família de George Mitchell, o ex-senador americano do Maine que eu entrevistei certa vez quando era repórter ali, era do Líbano e que ele deveria se orgulhar de sua herança.

Ele pensou por um tempo sobre o que eu disse. E sorriu. Então continuou a pescar. O som sibilante da linha, enquanto ele a direcionava repetidamente para o ponto certo, era agradável.

Até que finalmente ele pegou um peixe. Uma truta de ribeiro medindo mais de trinta centímetros de comprimento.

"Este é um dos maiores que eu peguei aqui", disse ele. "Mas o meu irmão teria dito: 'Você deveria era ter visto aquele que escapou'. Ele sempre falava isso. Eu achava a coisa mais engraçada do mundo."

"Teria dito?"

"Dylan morreu faz cinco anos. Acidente de carro, batida frontal. O motorista que vinha na direção oposta estava bêbado."

"Sinto muito."

"Ele só tinha dezesseis anos. Tinha tirado a carteira de motorista fazia apenas um mês."

Então, contou-me o que acontecera: "O motorista bêbado foi condenado a dez anos de prisão por homicídio culposo. Depois de mais ou menos seis meses, a minha mãe decidiu que queria conhecê-lo. O nome dele é Sam. Ele tinha 21 anos na época, estava prestes a se formar na faculdade antes da sentença. Ela tem permissão para visitá-lo. O Sam também precisou concordar com isso. Mamãe achou que tinha de conhecer o homem que matou o filho dela. O papai não impediu que ela fosse, mas não foi junto.

"Quando a mamãe conheceu Sam na prisão, de início ele não conseguiu olhar no rosto dela. Disse a ela que reconhecia seu direito de confrontá-lo. Ele estava com medo de que ela gritasse com ele, de que talvez tentasse bater nele. Achava que ela tinha todo o direito de fazer isso. Ela, no entanto, disse-lhe que só queria conhecê-lo e tentar entender como pôde ter feito uma coisa daquelas, ter sido tão irresponsável.

"A mamãe disse que ele chorou, implorou por perdão. Seus pais praticamente o deserdaram pelo que ele fez. São cidades pequenas, por isso todo mundo ficou sabendo. Ele disse que estava trabalhando em dois empregos enquanto ia para a faculdade e que, naquela noite, depois que saiu de um dos trabalhos, saiu com alguns amigos. Uma comemoração atrasada do aniversário dele. E ele sabia que nunca deveria ter pegado o carro. Quando ele acordou depois do acidente, com o carro amassado em uma árvore, ele nem sabia o que tinha acontecido. Ele não sofreu praticamente nenhum arranhão.

"Sam não queria ser solto antes de completar a pena. Ele disse que merecia cumprir não só a sentença como muito mais. A vida dele nunca mais vai ser a mesma, mas pelo menos continua. A mamãe começou a visitá-lo com frequência. Depois de cerca de um ano e meio, ela ajudou o advogado dele a arrumar os documentos que davam suporte para a soltura antecipada. Mamãe não quer ver outra vida jovem ser destruída, não importa quanta dor ela, o papai e eu estejamos sentindo. Sam terminou a faculdade e agora ele vai se formar. Ele vai ser conselheiro de saúde mental. Ele e a mamãe ainda passam um tempo juntos. Eu acho que é possível dizer que eles são amigos."

Ele abaixou a vara de pescar e olhou para baixo, para o lago. "Os meus pais tiveram uma discussão feia com o Dylan antes de ele sair de casa na noite em que morreu. Eu reproduzo essa cena na minha cabeça toda hora. O meu pai disse para o Dylan que ele era uma criança ingrata. 'Você nos deve', ele disse, 'não somos nós que devemos a você.' Foram exatamente essas palavras. Eu só me sentei à mesa de jantar. Não disse nem uma palavra, nem fiz nada. Aquela briga não era minha. Quando ele estava saindo de casa, Dylan se virou e olhou para mim de um jeito que eu nunca tinha visto antes. Era como se ele soubesse que não me veria nunca mais. Dylan levantou a mão, mas de um jeito estranho. Eu não sabia dizer se ele queria que eu me aproximasse dele ou se ele estava se despedindo de mim. Ou as duas coisas. Quando eu não respondi de imediato, ele só se virou e saiu. Nós recebemos a ligação da polícia por volta de uma da manhã.

"Isso faz cinco anos. Hoje, Dylan completaria 21 anos. Estaria formado na faculdade. Pronto para encarar o mundo."

"Eu tento ser como a minha mãe", ele disse em seguida. "Cheio de perdão. Mas alguns dias são mais difíceis de lidar do que outros. Agora eu vivo para Dylan. Ele estava treinando para ser um paraquedista de incêndios. Era o objetivo de vida dele, era tudo para ele. Vou pegar a minha certificação em breve e me tornar um bombeiro florestal com treinamento especializado."

Depois de um tempo em silêncio, ele continuou: "Papai e eu fomos com a mamãe no dia em que Sam foi solto. Achamos que era hora de conhecê-lo. Mas papai não saiu do carro quando chegamos. Ele começou a chorar alto, aos berros. Foi a primeira vez que o vi chorar na vida. Ele disse que ainda não tinha se perdoado por aquelas últimas palavras que disse ao Dylan por terem sido tão duras. Todos nos abraçamos e choramos juntos".

"Eu não sei nem por onde começar a lhe dizer o quanto eu sinto muito por tudo," eu disse já com os meus olhos se enchendo de lágrimas.

"Eu visito o túmulo de Dylan todos os dias. Não deixo de ir um dia sequer, pode estar o pior clima. Já ouvi falar que 'irmãos mais velhos são infernais', mas Dylan não era assim. Claro que nós tínhamos as nossas brigas, somos meninos, mas nada sério. Eu podia contar qualquer coisa ao Dylan. Contei-lhe, por exemplo, sobre a minha primeira namorada. Contei sobre o nosso término. Abri meu coração partido para ele. Ele só me ouvia, às vezes com o braço em volta de mim. Ele que me ajudou a superar isso."

Ele não terminou de pescar. Jogou o peixe que pegou de volta na água e se levantou. "Agora vou deixar você aqui para que possa ficar com este lugar só para você. Eu vou ao túmulo do Dylan, contar-lhe sobre o peixe que peguei e imaginar que estou ouvindo ele dizer: 'Você deveria era ter visto aquele que escapou'. Obrigado por compartilhar o seu espaço comigo."

O meu espaço. Ele ia para aquela pedra o tempo todo, eu quase não a visitava mais, e foi ele quem me agradeceu por compartilhá-la.

"Sinto muito por sua perda também", disse ele enquanto pulava para fora da pedra. "Sei que não quer falar sobre isso."

Depois que ele se foi, percebi que nunca me disse seu nome e eu nunca cheguei a perguntar.

A morte não se orgulha disso

Desde a morte do meu pai, conheci outras pessoas que sofreram perdas mais terríveis. Uma professora de humanidades que organizara uma palestra minha em seu *campus* compartilhou, durante o jantar, que seu irmão mais novo, que tinha Asperger e vivia de forma independente – ela o descreveu como alguém "inocente como um cordeiro e amoroso de um jeito incondicional" –, foi enganado por um casal de criminosos em uma amizade de fachada para que os dois pudessem entrar na casa dele, obter acesso a tudo e roubar todos os bens que ele tinha. Depois de levar o que bem quiseram, assassinaram-no de uma maneira horrível, para garantir que ele não revelasse nada às autoridades. Atualmente, os dois cumprem pena de prisão perpétua sem direito à liberdade condicional. "Aquelas pessoas doentes claramente apreciaram matá-lo", disse ela. O motorista que me levava aos meus eventos em uma faculdade no Centro-Oeste, com quem desenvolvi uma relação de amizade, contou durante o caminho de volta para o aeroporto, depois que eu cumprira os meus compromissos, que seu filho havia se mudado para a costa leste e certa noite estava dirigindo pela cidade em que residia quando seu carro quebrou. Pareceu sorte o fato de seu filho ter conseguido chegar a uma oficina de automóveis que ainda estava aberta, mesmo que fosse madrugada. Então, um homem que havia acabado de cometer um assalto enquanto brandia uma faca em uma loja de conveniência, a meio quarteirão de distância dali, viu a luz acesa na oficina, inexplicavelmente atravessou a rua, entrou e esfaqueou seu filho repetidas vezes até matá-lo. O assassino aguarda julgamento até hoje. Um coronel aposentado da Força Aérea, que havia me convidado para realizar um Sócrates Café em sua igreja, contou-me que perdera seu único filho, "o brilho de luz da minha vida", que estava seguindo carreira nas forças armadas; ele havia morrido em um acidente estranho de parapente durante uma pausa dos estudos intensivos.

Durante todos os meus anos de viagens antes da morte do meu pai, eu dificilmente me lembrava de alguém compartilhando perdas tão dolorosas comigo, ainda que com toda certeza eu tenha me deparado com muitos que tiveram cruzes pesadas e dilacerantes para carregar. Certeza de que isso diz muito sobre mim e a minha insensibilidade. Certamente, os outros não compartilhavam essas coisas a menos que estivessem convencidos de que a pessoa com quem estivessem conversando fosse receptiva e compreensiva. Embora via de regra uma pessoa bastante reservada, ultimamente eu também compartilhava a minha própria angústia, que era contínua. Entretanto, nessa ocasião em específico, sobre a criança índigo, eu não disse nem uma palavra sequer. E mesmo assim, ele soube.

Daimon

No *Fedro* de Platão, um discurso sobre amor, retórica e reencarnação, Sócrates se despediu dos seus interlocutores. Até que seu *daimon* interveio: "quando eu estava prestes a atravessar o rio, o meu sinal divino e costumeiro veio à tona e então parecia que eu ouvia uma voz ali mesmo, uma que não me deixou partir". Seu *daimon* lhe dissera para não ir embora, Sócrates voltou ao discurso e se lançou de volta nele, efetivamente recomeçando – e isso levou todos aqueles que estavam imersos nele a obterem uma série de novas ideias.

Sócrates era conhecido por permanecer em um lugar, e no lugar. Sem aviso prévio, ele se afastava de seus companheiros e depois ficava paralisado, imóvel. Veja este relato de *Banquete*, de Sócrates, em que ele ficou atrás de seus amigos. Eles não perceberam que ele havia ido embora até chegarem à casa de Agatão, anfitrião de sua festa regada por bebidas. Até que Agatão enviou um servo a fim de procurar Sócrates. Esse mesmo servo retornou e relatou que se deparou com Sócrates "parado na varanda de um vizinho". Ele disse que "chamou várias vezes por Sócrates, mas que ele não se mexera". Agatão, que não conhecia bem Sócrates, caracterizou tal comportamento como estranho. Porém, outra pessoa que estava próximo se opôs e disse: "é um costume dele: às vezes, ele se destaca onde quer que esteja". Alcibíades – que pode até não ser muito conhecido, mas que conhecia o velho filósofo por inteiro – confirmou isso. Certa vez, ele contou que, depois de uma pergunta particularmente desconcertante e estimulante ter sido feita, "Sócrates, uma vez tendo recebido o problema para solucionar, permaneceu ali, pensando nele, desde o amanhecer... e ele não deu nenhuma trégua, ficou li, procurando a resposta". Alcibíades disse que Sócrates permaneceu dessa maneira até o amanhecer do dia seguinte; então, quando voltou a si, fez as suas orações aos deuses e continuou seu dia normalmente. Agatão então se deu por convencido; ele não considerou mais o comportamento de Sócrates de uma forma pejorativa. "Então o deixe em paz", disse Aristodemo. Agatão concordou: "Deixe-o em paz". Quando Sócrates por fim apareceu para a festa e o discurso naquela noite, todos ali presentes, inclusive ele, "ofereceram bebidas e cantaram um hino aos deuses". E assim eles tiveram uma das trocas filosóficas mais memoráveis já registradas. Com toda certeza, aquele trecho de quietude fora daquilo que entendemos por tempo e espaço não passava do revigoramento de que ele precisava para que isso finalmente acontecesse.

É decepcionante que uma historiadora tão respeitada da antiguidade como Bettany Hughes tenha feito a afirmação patética e totalmente infundada de que Sócrates, durante esses momentos de quietude feito uma pedra, "sofria de alguma forma de epilepsia ou 'pequeno mal' (a partir daí que se originariam então os seus curiosos ataques catalépticos: quando olhava para o nada por horas a fio), que durante uma época piedosa era algo interpretado como sendo uma 'voz interior' maligna". Em vez disso, como ele mesmo disse de uma maneira astuta, era contra "a loucura da multidão" com "nada... considerado sólido ou certo diante de qualquer política atual".

Os próprios companheiros mais íntimos de Sócrates, para a manutenção de sua credibilidade duradoura, não o viam nem mesmo remotamente sob essa mesma luz que Bettany Hughes o via, eles saberiam que jamais seria esse o motivo; afinal, estavam lá. Bettany faria bem se prestasse atenção ao que o companheiro de Sócrates disse ao resto dos seus amigos depois de ter retornado do seu encontro com o filósofo que permanecia imóvel: "Não o perturbe. Deixe-o em paz". E pelo amor de Deus, não o julgue ou o rotule de maneiras que digam mais sobre você, os seus preconceitos e equívocos do que sobre ele.

Quando a genialidade da voz de Sócrates saía dessa garrafa figurativa durante tais ocasiões, isso era algo tão "maligno" quanto a época em que ele viveu era piedosa. A *sua* voz era piedosa, e a época em que ele vivia, maligna. Sócrates, o aberrante? Aquele que procurou derrubar os muros construídos por quem se dedica ao julgamento paternalista, demonizador e "rotulamento" para fins perniciosos? Pois me dê (e mais ao ponto, a ele) um tempo. Mas não só isso, se você quisesse direcionar para onde a patologia real estava se instalando nessa mesma época, então deveria apontar seu dedo rotulador para quase todas as outras pessoas presentes na sua sociedade, com exceção dele.

Sócrates ousava permanecer parado quando era o espírito que o movia, estivesse ele sozinho ou na companhia de uma multidão. Os seus amigos não se importavam, e jamais teria ocorrido a eles julgá-lo. Na visão dele, era algo normal. Deixe-o em paz. Eles com toda certeza teriam se sentido da mesma forma caso ele tivesse feito o oposto e saído correndo. Durante sua preferência pela quietude, Sócrates se destacava de outros filósofos gregos antigos renomados, que preferiam caminhar como sendo esse um modo de filosofar. A *Escola de Atenas*, de Rafael, representava Platão e Aristóteles caminhando juntos, ponderando sobre um quebra-cabeça filosófico. Os seguidores de Aristóteles eram chamados de peripatéticos, o que literalmente significa "aqueles que andam". O próprio Aristóteles era famoso por caminhar na companhia de seus alunos enquanto filosofavam juntos ao longo da área pública do Liceu. Já filósofos que vão de Aristóteles a Kant eram famosos pela frequência dos seus passeios, Sócrates era completamente imprevisível quando se dizia respeito a seus surtos de imobilidade. Ele poderia, muito de repente, voltar a esse mesmo estado nos momentos mais inesperados, mesmo enquanto estivesse engajado em um profundo discurso com seus colegas interlocutores. Eu também vivi momentos de tamanho êxtase no Sócrates Café. No calor e no centro de tal questionamento, percorre mundos, em incontáveis lugares ao mesmo tempo, a minha quietude externa se precipitou pelo movimento interno mais intenso e hipnótico.

Além da experiência de completa quietude externa, que por vezes provocava um movimento interior incomparável – e por outras sozinho no meu rochedo, mas também às vezes desencadeado enquanto filosofava em um Sócrates Café –, eu tentei outros modos. Participei, por exemplo, de incontáveis e frutíferos Sócrates Café de "Caminhe e Converse" no decorrer dos anos, que eram mais parecidos com aquilo que peripatéticos fariam, ainda honestamente jamais eu tenha achado isso algo tão significativo *para mim*. Cada pessoa possui o seu próprio processo de como melhor processar as coisas, ou apenas "ser", sozinho e com os outros.

O que eu gostaria de ver é cada vez mais experimentação. Para isso, sugiro que todos nós, adultos, tentemos pular, delimitar, testar cada tamanho, experimentar se isso contribui para uma melhor contemplação, alegria, um melhor bem-estar ou para simplesmente se divertir. Então imagine, por exemplo, no caminho de ida e de volta ao trabalho, ora enquanto ponderava uma hipótese ou os resultados de uma experiência científica, ora agonizava com uma decisão fatal no Salão Oval ou enquanto socratizava, que às vezes você pula e faz delimitações sempre que o espírito o movimenta. Não existe nenhuma razão clara para que não devamos fazê-lo, nenhum bom motivo para que tenhamos parado de participar de maneiras tão deliciosas de movimento. Pode haver enormes razões para retomar a prática. Além de melhorar o nosso filosofar, resolver os problemas e o bem-estar mental geral, pode fazer maravilhas para a nossa saúde física, a nossa diversão, é capaz de reavivar o nosso espírito infantil, mas não uma infantilidade de curiosidade, criatividade e questionamento.

A Era Questionadora

Conforme Sócrates contou, o seu *daimon* veio à tona pela primeira vez quando ele era criança, emergindo de mãos dadas com seu sentimento inato de uma admiração cada vez maior. Em *Teeteto* de Platão, depois de intrigar com o rapaz homônimo sobre questões de mudança natural, Teeteto acaba sendo levado a afirmar: "Pelos deuses, Sócrates, eu me pergunto extraordinariamente sobre tais coisas". Ao que Sócrates respondeu: "Esta é a paixão dos filósofos: questionar-se", porque "não existe outro começo para a filosofia além desse".

A filosofia tem início no espanto. Sócrates foi o epítome de alguém maravilhado, perplexo, inquieto, engajado em uma extraordinária atividade interior, um estado de êxtase que o movimento externo por vezes teria perturbado. Ele estava maravilhado com o romance e não tão familiarizado, intrincando o caminho através dele, da mesma forma como uma criança faria, sendo transportada para fora dos momentos mais comuns, perdendo toda a noção do tempo e dos assuntos alheios.

Com *isso* em mente, consideremos o enunciado mais citado, e o menos compreendido de Sócrates, no qual ele relatou o seguinte, de acordo com o Oráculo de Delfos, "Eu sou o homem vivo mais sábio, porque eu sei de uma coisa: que nada sei". O que ele estava querendo dizer com isso? Que ele não sabia nada? Esse seria o caso apenas se ele estivesse sendo um *poser* que é irônico de uma forma depreciativa. A visão expressa de Sócrates era a de que todo filosofar verdadeiro começa com a epifania de que, justamente quando você pensar que sabe de algo em definitivo – as origens do universo, a natureza dos seres humanos, de onde vem a coragem, de que forma a mudança ocorre, do que a virtude é feita –, uma nova ideia vem à luz e lança tudo o que você pensava que sabia em uma nova luz, ou mesmo coloca em dúvida – quaisquer dos dois casos, o seu mundo acaba virando de cabeça para baixo. As origens de uma ideia tão nova? Análises incansáveis do tipo socrático com outras que sejam inquisitivas, sempre em busca. Esses terremotos epistemológicos vindos deles compelem um pesquisador honesto a fazer parte de uma busca por conhecimento que se mostra verificável e conquistada graças a muito esforço para então recomeçar essa busca – não desde o início, mas de novo, com a perspectiva animadora de que um paradigma pode estar surgindo. E nesse momento você *não* estava armado (ou desarmado) com uma lousa em branco e sim com uma que era nova, com novas possibilidades de conhecimento então abertas à exploração. Sócrates acreditava não saber de nada em definitivo, ainda que se perguntasse como se daria ser um daqueles sofistas sabe-tudo, que tinham a certeza de que sabiam de tudo em sua inteireza.

Portanto, considere este exemplo de Sócrates ao se engajar em devaneios filosóficos especulativos ao longo de *Fédon*, de Platão, depois de um encontro próximo com seu *daimon*:

> Existem incontáveis lugares maravilhosos na Terra, ela em si não possui a qualidade de grandeza que supõem aqueles que costumam falar sobre ela. O planeta é enorme e ainda assim habitamos apenas uma pequena parte dele, ao redor do mar, da mesma forma como formigas ou até mesmo sapos ao redor de um lago; e muitos outros seres vivem em outros lugares, em diversos outros lugares. Afinal,

> há inúmeras cavidades de todos os tipos – seja em forma ou em tamanho – por toda parte ao redor da Terra, nas quais água, ar e névoa fluem misturadas.

Nos tempos de Sócrates, a Terra era considerada o centro do universo físico, com o resto dela sendo emanado para o infinito, ao além. Nesse trecho de reflexão, ele claramente parecia estar antecipando – ainda no século V a.C. – buracos de minhoca, assim como outras criaturas sencientes ou mesmo formas de vida presentes em outros planetas, até "vazios", como buracos negros.

Nessas ocasiões, Sócrates não se retraía diante das preocupações mortais, mas também não as abordava ou encontrava no espaço-tempo típico, afinal, ele não estava *inserido* no espaço-tempo típico nesses mesmos momentos. Imagine o estado incrível e de intensa atividade mental que só podia surgir de dentro de um casulo autofabricado e feito de quietude, de silêncio; ao apreciar o ruído branco externo ensurdecedor vindo daquela *polis* circundante, sob um caos crescente, e dentro dele, criou tamanho casulo. Ele estava no extremo oposto de ser como a maioria de seus companheiros atenienses, que então não se maravilhavam – esses representando a antítese da "paixão dos filósofos, o questionar-se", porque "não existe outro início para a filosofia além desse", e nenhum outro final redentor possível a não ser continuar se questionando.

Lições antes da morte

Friedrich Nietzsche afirmou em *A Gaia Ciência*: "O segredo para colher a maior fecundidade e o maior prazer da existência é viver *perigosamente*!". Mas ao afirmar isso ele não quis dizer correr riscos arbitrários e sim dar à vida tudo o que você possui; e caso consiga, como escreveu Nietzsche em *Crepúsculo dos ídolos*, "morrer com orgulho quando não se é mais possível viver com orgulho". Nietzsche não ponderou sobre a forma como se deve morrer, ainda que presumivelmente uma morte digna fosse a sua preferência sempre que possível.

Meu pai não tinha medo da morte, mas *sim* de morrer de uma determinada maneira. Ele planejou de forma cuidadosa e metódica, e ao longo de décadas, para ter certeza de que poderia morrer com orgulho. Para ele, isso significava viver de um jeito que fosse independente até seu último suspiro, e em sua casa, em vez de em um asilo ou mesmo em uma casa de repouso. O único medo de papai, como ele dizia por diversas vezes ao longo dos anos, era o de ficar confinado a uma casa de repouso se e quando chegasse o momento em que ele estivesse frágil e enfermo demais para cuidar de si mesmo. Papai guardava seu dinheiro como nenhuma outra pessoa que eu já tenha conhecido; em partes, ele o fazia para garantir que pudesse ter cuidados de enfermeiros em casa, talvez por anos a fio, caso uma situação justificasse algo desse tipo, e ainda ter dinheiro de sobra para ser deixado como herança a quem ficasse para trás.

No fim das contas, papai nunca precisou de cuidados em casa. A sua vida terminou de uma forma abrupta. O seu meio século de uma economia tão meticulosa desapareceu, assim: *puf*. A minha mãe, que na época estava casada com papai (eles estavam separados havia mais de uma década), disse que começou a receber ligações de condolências antes mesmo de saberem que ele havia morrido. Contou-me que haviam lhe dito que papai morrera com medo de que alguém o estivesse levando em uma van para uma casa de repouso. Ela contou que havia ficado horrorizada diante do fato de que suas últimas horas pudessem ter sido aterrorizantes. Papai não temia a morte, ele tinha medo de não ser capaz de morrer de uma maneira orgulhosa.

Sócrates também não tinha medo da morte em si. Ele vivia de uma determinada maneira, fosse lá o que acontecesse ou não depois de morrer. Ele trouxe essa questão à tona em *Teeteto*: "A qual evidência poderíamos apelar caso nos perguntassem neste exato momento se estamos dormindo ou acordados?". A resposta de Teeteto foi a seguinte: "De fato, Sócrates, eu não vejo por qual evidência isso haveria de ser provado; afinal, as duas condições correspondem em todas as circunstâncias como sendo contrapartes exatas".

Em *Apologia*, Sócrates disse que

> existem grandes razões para se esperar que a morte seja um bem em si; para uma dessas duas coisas, ou a morte é o estado de um nada e de completa inconsciência, ou, como dizem os homens, há certa mudança e migração da alma deste para outro mundo. Agora, se você supõe que não existe uma consciência e sim um sono, do tipo que não é perturbado nem mesmo pelos sonhos, a morte portanto será um ganho indescritível... porque a

> eternidade não passa de uma única noite. Contudo, caso a morte seja na verdade uma viagem para outro lugar, e, como dizem os homens, lá permanecem todos os mortos, que bem, ó meus amigos e juízes, pode ser maior do que isso?

E Sócrates continua: "O que um homem não daria para conversar com Orfeu, Museu, Hesíodo e Homero? Não, se isso for mesmo verdade, então me deixe morrer de novo e de novo!". Para Sócrates, qualquer possibilidade – fosse ela uma inconsciência eterna, ou um bloqueio sem fim de corações e mentes com lamparinas espalhando luz através dos tempos e das épocas – era ideal à sua maneira. Pode haver diversas outras possibilidades além dessas duas que Sócrates apresentou. Mesmo se ele pudesse cumprir o seu desejo de morrer continuamente, iria querer tê-lo feito com orgulho em todas as vezes. A importante "lição socrática", contudo, é que não importaria de que forma ou em que momento você morresse, as suas crenças sobre uma vida após a morte ou a falta dela, uma vida sendo vivida de um determinado modo aqui e agora teria se tornado, portanto, a sua própria recompensa. Essa era a vida que ele levava e, à sua maneira, a vida que o meu pai levava – vidas que foram de superação, adversidades, perseverança diante de obstáculos assustadores e de contratempos fulminantes, sem quaisquer ressentimentos e, na verdade, repletas de muita alegria.

Apego radical

Certa vez, eu me envolvi com o estoicismo, parte da razão foi para compará-lo ao modo socrático de lidar com os altos e baixos da vida, as oscilações e os momentos extremos. Se eu tivesse continuado com essa prática como sendo minha principal, não acho que eu teria a capacidade (até hoje) de resistir às forças malignas que então surgiram no meu caminho – muito menos sequer cogitar perdoar aqueles que orquestrariam tamanhas forças.

O estoicismo, fundado por Zenão de Cítio no início do século III a.C., devota-se à dupla promessa de viver uma vida que seja mais racional e virtuosa, ao mesmo tempo em que cria a permissão de lidar com mais solidez com os contratempos da vida. Com o passar dos séculos, ele foi apresentado e embrulhado como um bálsamo existencial para as classes média e alta. Como um dos seus principais fornecedores modernos, William B. Irvine, Ph.D., coloca em *The Stoic Challenge* (*O desafio estoico*, em tradução livre):

> Não devemos pensar nos estoicos como indivíduos sombrios, mas como eternos otimistas que possuíam profunda capacidade de oferecer uma reviravolta positiva sobre os eventos da vida. Em vez de sentir frustração e raiva ao passar por um revés, eles eram capazes de sentir enorme satisfação ao lidar de forma sucessiva com o desafio apresentado pelos próprios reveses.

Contudo, muitos dos infortúnios da vida não merecem receber uma "rotação positiva", nem podem ser considerados "desafios" a serem enfrentados em si mesmos. Eles com toda certeza podem exigir uma resposta sincera, o que pode incluir uma explosão de frustração, raiva, angústia, mas também de amor, compreensão e esforço, aliado a uma clareza maior (talvez depois, após um exame de consciência considerável) de missão, propósito e direção. Isso não é algo que necessariamente ofereça uma "dose de satisfação", mesmo ao mostrar que é difícil colocar uma pessoa boa para baixo. Alguns daqueles que sobrevivem a derrotas e reviravoltas surpreendentes são capazes de, mesmo assim, canalizá-los de formas que, dado o devido tempo, levam à formação de algo bastante significativo a partir deles próprios; em alguns casos, mesmo quando são resultado de atos malignos. É possível suportar certas dores físicas de uma maneira "estoica", como de costume - por exemplo, quando quebrei três costelas, fraturei um pulso e fiquei com o lábio superior rígido - além de algumas formas emocionais também, incluindo contratempos profissionais impressionantes, dos quais tive muitos, e derrotas em certos tipos de competições. Porém, em geral, eu jamais sacrificaria a paixão e as alegrias misturadas com profundos sofrimento e agonia, não mais do que Sócrates ou profetas como Jeremias e Ezequiel.

"Se você tem um inimigo, não retribua mal com bem", instruiu Friedrich Nietzsche em *Assim falou Zaratustra*. "Em vez disso, prove que ele fez algum bem para você"; ou melhor, não o considere sequer um inimigo ou antagonista, ainda que essa pessoa o considere um. Alguém com alma bondosa não precisa "provar" a si mesmo ou para qualquer outra pessoa que tal pessoa lhe fez algum bem. Às vezes, não há como disfarçar o fato de que uma atitude maligna foi perpetrada e não serviu a nenhum propósito de qualquer tipo que fosse bom. Você ou outros podem ser prejudicados para sempre como consequência disso, e é algo compreensível. Mesmo assim, a partir disso, você é capaz de esculpir algo criativo e esclarecedor que também pode ser útil a outros – seja uma peça, um livro, um projeto sem fins lucrativos ou até mesmo uma busca profissional, ou demonstrações cotidianas de empatia e compreensão para "companheiros de sofrimento" com quem você atualmente compartilha uma experiência e a quem, de qualquer outra forma, você nunca teria encontrado. Você também pode chegar à conclusão de que não é tão diferente quanto gostaria de pensar que fosse se comparado àqueles que cometem os atos mais abomináveis, ainda que você mesmo nunca o cometa.

O objetivo essencial do estoicismo, enfatizava Irvine, é "não permanecer calmo enquanto se *sofre* um revés, e sim experimentar um revés *sem que se sofra com isso*. Essa é uma distinção importante". Uma diferença relevante e que faz com que a cura não valha o preço que se paga por ela. Sofrimento, contratempos e crescimento são coisas entrelaçadas, e eu mesmo não seria tão ágil em separá-las. A estratégia de evitar o sofrimento dos estoicos tem a capacidade de inibir o desenvolvimento de uma alma saudável. Caso alguém consiga assumir o próprio sofrimento, ainda que por um instante, pode o orientar e canalizar de uma maneira que faça um bem considerável e que conduza a uma autocompreensão muito maior – e a um julgamento muito menos severo dos outros, incluindo aqueles que cometem as piores coisas, mesmo enquanto e se você tentar corrigir determinados erros.

Os "tempos que testam as almas dos homens", como bem disse Thomas Paine, filósofo americano nascido na Inglaterra, teórico político e agitador revolucionário, são esses que testam também a sua coragem. Eles põem à prova final a possibilidade de suas atitudes estarem alinhadas realmente com as suas palavras. E mais do que isso, se você busca a todo custo evitar o sofrimento, por consequência você foge de muitos dos desafios mais importantes da vida e das lições que advêm do enfrentamento deles. Não se trata unicamente, como Nietzsche bem colocou em

Crepúsculo dos ídolos, de abraçar a perspectiva da premissa de que "aquilo que não me mata me fortalece". Desespero, desgosto e perda não precisam naturalmente conduzir a um desânimo que seja incapacitante e paralisante, embora às vezes possam fazê-lo, e por bons motivos. Entretanto, com o estoicismo você pode vir a perder muito mais com a cura em perspectiva do que é capaz de reter.

Uno a minha sorte à de Sócrates. A vida de um apego e uma sintonização radicais, além do tipo de sofrimento que isso acarreta – o tipo de alegria, amor, tolerância e perdão que podem ser obtidos disso – é a única vida possível para mim.

A ala do câncer

De Portland, no Maine, eu atravessei de novo os EUA e desta vez para o centro da Califórnia, uma curta distância rumo ao interior e um pouco a nordeste da costa de Big Sur. Uma administradora de um programa de cuidados paliativos de um centro médico da região providenciara tudo para que eu realizasse um Sócrates Café. Mais de uma década atrás, ela havia participado de uma reunião organizada em sua faculdade por um professor que havia lido meu livro e o usou em suas aulas. Depois da formatura, ela então lançou o seu próprio Sócrates Café em uma cafeteria localizada em sua comunidade. Nós dois mantivemos contato por alguns anos até que por fim ela conseguiu sinal verde para eu inaugurar um junto com os pacientes do programa de cuidados paliativos.

Os Sócrates Café que eu realizei ao longo dos anos, tanto em hospitais psiquiátricos quanto naqueles voltados para crianças e adultos com doenças fatais e terminais, foram incomparavelmente significativos. Aqueles que participavam diversas vezes são isolados do resto do mundo exatamente quando mais precisam se sentir conectados – e em um momento, mais do que nunca, no qual podemos aprender muito com as extensas reservas de sabedoria que eles detêm para então transmitir. O tema que exploramos nesse fatídico encontro surgiu por meio de sugestão de um dos próprios pacientes: "O que são dias bons?".

Depois que a nossa investigação chegou ao fim, uma mulher chamada Atena continuou ali. Ela esperou que todos saíssem antes de se aproximar de mim. Assim como o meu pai, que frequentara muitos dos meus Sócrates Cafés nos EUA, Atena nunca havia dito nem uma palavra sequer durante a reunião formal, embora estivesse ouvindo com todas as suas forças. E de novo da mesma forma como o meu pai, foi só depois de a reunião oficial ter acabado que ela se dispôs a compartilhar os seus pensamentos comigo, apenas comigo.

"Eu não ia comparecer hoje", Atena me disse. "Às vezes, é bem difícil dizer: 'Hoje, vou fazer alguma coisa'. Mas estou feliz por ter vindo, por ter ouvido todas essas pessoas atenciosas. Eu queria oferecer apoio a elas, chorar junto com elas, rir com elas, estar ali para abraçá-las quando precisassem. Aqui, nós somos uma comunidade de amor."

Em seguida, disse-me: "Enquanto eu estava ouvindo, ocorreu-me que não é possível saber qual é a sua filosofia de um dia bom até conhecer a sua filosofia dos dias ruins. E para mim, não existem dias ruins. Apenas momentos ruins. Quando eu perder o meu cabelo, de novo. Quando estou com muita dor para deitar ou me levantar sozinha. Eu sempre me pergunto: 'Por que eu?'.

"Eu nunca tive um dia ruim, nem mesmo naqueles piores dias desde que fui diagnosticada ano passado com câncer de ovário em estágio quatro. Hoje, sou mais consciente de cada coisa boa, brilhante e bonita. De qualquer gesto de bondade dirigido a mim, de qualquer pessoa que me oferece alguma ternura, ou que me deixa demonstrar a ela, de qualquer coisa que ainda me faça sentir que eu sou necessária.

"Os momentos ruins não exigem consciência. Eles apenas o são. Eles me fazem ser mais grata por tudo aquilo que é bom no decorrer do meu dia. Quando consigo pegar meu sobrinho no colo e suportar a dor. Quando sou capaz de acender as minhas velas de oração sem ajuda e agradecer por ainda estar viva. Quando consigo dormir à noite sem sentir muita dor. Mesmo quando isso não é possível - nenhuma vez sequer -, eu considerei qualquer dos meus dias 'ruim'.

"Eu aprendi muito sobre o amor", disse Atena em seguida. "E sobre perda também. Fui abandonada por alguns que pensei que sempre estariam aqui para mim. Mas fui abraçada por alguns que jamais pensei que se fariam presentes.

"No começo, foi difícil para mim superar o meu próprio sofrimento e a minha própria dor. Agora, também sinto a dor dos outros, não mais do que os outros nesta comunidade de cuidados paliativos, por causa da nossa experiência compartilhada de termos um câncer terminal. Em um único instante, qualquer um de nós aqui é capaz de sentir raiva, dor, sofrimento, amor, alegria."

"Antes do meu câncer", disse Atena, "um dia bom para mim teria sido aquele em que eu tivesse uma rotina produtiva no escritório. Eu era uma estrela em ascensão como engenheira civil na empresa em que eu trabalhava. Para quem tem 32 anos de idade, o céu é o limite. Esse dia bom geralmente terminava de uma forma agradável: o meu noivo e eu nos encontrávamos em casa depois do trabalho, desligávamos os nossos celulares e computadores, sentávamos juntos na varanda, de mãos dadas e bebíamos vinho enquanto observávamos o vale. Nada como 'estar' com o amor da sua vida.

"Em quase todos os sábados, Kevin e eu percorríamos o trajeto de noventa minutos até a costa de Big Sur. Fazíamos um piquenique. Assistíamos ao pôr do sol. Eu quase sempre usava a minha roupa de mergulho. Em algum momento, eu mergulhava no oceano e nadava cerca de 25 metros até um arquipélago de rochas tão únicas que pareciam terem sido lançadas ali direto do espaço sideral.

"Kevin ficava maravilhado por eu conseguir nadar em pleno Oceano Pacífico, mesmo nos dias mais frios. Era algo que eu fazia desde criança, quando a minha mãe e eu nadávamos juntas. Com Kevin me vendo da costa, eu nadava até aquelas rochas, depois subia até o topo delas e dali observava o universo."

Ela me mostrou uma foto dela fazendo exatamente isso. "Isso não foi há tanto tempo – quando eu ainda era eu e nós ainda éramos nós." Eu disse para Atena que tinha certeza de que sabia exatamente onde era aquele lugar, que a minha esposa Ceci e eu já fomos de carro até lá, no final dos anos 1990. Ceci e eu havíamos decidido fazer um passeio panorâmico pela costa ao sul de onde nós morávamos, na área da baía norte do estado. Ainda que viéssemos a ter uma longa viagem pela frente, era impossível passar por aquelas rochas sem parar e observá-las por um momento. Estacionamos o nosso carro e assistimos ao pôr do sol ali mesmo, isso faz quase 20 anos. Mas não era apenas nessa parte que a coincidência se dava. A minha esposa Ceci, assim como Atena, é uma inveterada nadadora de águas geladas.

Atena mal conseguiu acreditar em tamanha coincidência. Eu mesmo não consegui.

Depois de um tempo, ela me contou: "Minha mãe veio para os EUA da Colômbia quando eu tinha só dois anos de idade. Ela era garçonete em um restaurante. E uma garçonete amada por todos. Recebia gorjetas excelentes. Ela economizava cada centavo que recebia. Ela me colocou na faculdade sem pegar um centavo em empréstimos. Ela se recusava a ficar endividada com alguém. Mamãe era uma alma incrível. Ela me deu o nome de Atena em homenagem à deusa grega da sabedoria e também a Santa Atena, uma das quarenta Santas Virgens.

"A minha mãe morreu aos 58 anos, de câncer de mama. Nós tivemos cinco preciosos meses entre o momento do diagnóstico e a morte dela. Ela morreu sabendo o quanto era amada, o quão significativa tinha sido a vida que viveu, o exemplo poderoso que ela deixou para mim. Eu me senti sortuda por termos tido a oportunidade de compartilhar um adeus amoroso e duradouro."

Eu então disse para Atena que a única coisa mais difícil de suportar era o fato de que no meu caso eu não tive a chance de me despedir do meu próprio pai antes de ele morrer, mas que não era um pequeno consolo o fato de que cada um dos amigos mais próximos me disse que eu era o orgulho e a alegria dele – algo que ele sempre achou difícil de dizer diretamente para mim. "Guarde com você isso que eles lhe disseram", afirmou ela ao pegar as minhas mãos e segurá-las com força. "O que ele disse sobre você é um presente duradouro."

"A minha vida mudou seis meses atrás", ela disse por fim. "Eu vim para este hospital a fim de fazer um exame depois de ter sentido uma dor estranha no meu abdome. A médica que me deu a notícia – a de que eu tinha câncer de ovário de estágio quatro – foi bastante séria sobre isso. Ela não tentou me preparar para o que estava por vir ou mesmo amenizar a situação. Ela apenas me disse, e bum, depois perguntou se eu tinha plano de saúde. Até hoje, eu me pergunto como ela reagiria se falassem com ela da forma como falou comigo, se contassem para ela, da maneira mais fria e insensível possível, que a vida dela, como ela conhecia, tinha acabado, e que a própria vida dela em pouco terminaria.

"Eu nunca vou ter filhos", disse Atena com a voz já embargada. "Nunca vou ter a oportunidade de realizar os meus sonhos pessoais ou os profissionais. Eu estava empenhada em supervisionar uma enorme obra pública para a qual a minha empresa foi contratada em Columbia. Significaria muito para mim fazer isso, por saber o quanto a minha mãe ficaria orgulhosa."

"Tive de passar por uma jornada inteira para aceitar que eu nunca mais farei parte desse projeto", ela disse em seguida, "que a minha vida profissional acabou. E eu sofro. Lamento que o meu noivo tenha me deixado. Eu ainda gostaria de ter outro amor, mesmo que apenas por algumas semanas. Quero demonstrar e dar todo o meu amor de novo a alguém.

"Eu comemoro o fato de que um amigo do ensino médio, de quem me afastei, esteve aqui por mim a cada passo dessa jornada. As diferenças políticas que tivemos levaram ao nosso distanciamento? Mas elas não importam. Eu aprendi muito sobre o amor, sobre aquilo que realmente importa. Mas isso não me deixa 'feliz' por ter câncer, só que eu não posso negar que me tornou um ser humano melhor."

"Em quatro meses, você estará de novo aqui, para realizar outro Sócrates Café", disse ela logo depois. "Mas eu não vou te ver novamente. Obrigada por hoje. Um dia tão bom. Um dia tão excelente."

Algumas horas depois, Atena me mandou uma mensagem. "Eu gostaria de ter sugerido que você revisse aquele rochedo em Big Sur."

Eu respondi a mensagem com uma foto: "Estou aqui agora".

Atena

Menos de um mês depois, Atena morreu. Carrego essa linda alma comigo até hoje. Em uma das minhas próximas viagens ao Brasil, onde meu trabalho se tornou popular, também farei uma viagem paralela a Bogotá, na Colômbia, a fim de visitar o projeto de obras públicas com o qual ela estava integralmente envolvida como engenheira civil no que dizia respeito à implementação. Também viajarei de ônibus até a cidade natal de sua mãe, Popayán, capital de Cauca, e ali realizarei um Sócrates Café. Atena havia me pedido isso. Ela dissera que os habitantes dali eram como ela e sua mãe – abertos, questionadores, curiosos e amigáveis (*calida*), repletos de paixão, motivação e determinação, mesmo sob circunstâncias difíceis.

A mãe de Atena deu à sua filha um nome que não poderia ser mais apropriado. O mito conta que a cidade mais famosa e importante da Grécia, Atenas, recebeu esse nome em homenagem à deusa grega Atena, colocada junto com Poseidon em uma competição para realizar feitos milagrosos. Atena se tornou vencedora ao receber um ramo de oliveira, que significa saúde, paz, fertilidade (mesmo em tempos de seca) e prosperidade. A votação feita pela população para escolher o vencedor era considerada mais valiosa que as demonstrações de poder e força bruta por parte de Poseidon. Nessa época, quando estavam no auge enquanto sociedade virtuosa, os atenienses valorizavam muito mais o que Sócrates chamava, em *Crátilo* de Platão – discurso em grande parte feito sobre a natureza e o propósito da linguagem – de "a mente divina" de Atena e "a sabedoria ética". Sócrates traçou o seu próprio desenvolvimento ético como aquele que procurava seguir o exemplo e a trajetória – no caso dele como mortal – de Atena, deusa patrona da sabedoria.

Quando chegou a época do julgamento de Sócrates, os atenienses não valorizavam mais essa sabedoria divina. A sua derrota na Guerra do Peloponeso havia sido amplamente vista pelos habitantes da *pólis* como um sinal inconfundível de que eles haviam sido ímpios. E de uma forma notável eles culparam Sócrates, em vez de admitir o fato de que eles mesmos eram a causa essencial dessa impiedade. Eles alegaram que a sua impiedade, não a deles, havia sido o fator decisivo em sua derrota por parte dos espartanos, porque ele escolhera adorar um panteão de deuses diferente daqueles sancionados por sua oligarquia. Mas isso era um bode expiatório puro e simples, entretanto eles preferiam qualquer coisa à verdade mordaz, a de que eles só tinham a si mesmos para culpar. Você não assume tamanha culpa e responsabilidade que vem junto com ela quando faz parte de uma patologia generalizada, o que torna a desonestidade e o apontar de dedo a regra, não a exceção.

Sócrates *na verdade* seguiu o seu próprio caminho e formou o seu próprio panteão de deuses e deusas, Atena – de quem ele era um adorador ferrenho – estava entre eles. A sabedoria divina que ela incorporava e que ele imitava em seu próprio modo de ser só poderia ser obtida por meio de uma busca contínua de descobrir cada vez mais sobre a "conduta correta". Em *Crátilo*, Sócrates concorda com Homero (a quem ele se refere como "um ancião") sobre o fato de que Atena "representa o intelecto e o pensamento", e que na realidade ela era a "inteligência divina". Tanto para Sócrates quanto para Homero, Atena "é *dotada* de uma inteligência *sobre* as coisas divinas que supera a de todas as demais".

Passado seu encontro com a sacerdotisa-mística do Oráculo em Delfos, a missão de Sócrates pelo resto de sua vida passou a ser a obtenção do tipo de sabedoria que só poderia ser obtida ao se fazer perguntas que levassem a busca pela conduta correta a evoluir. Figurativamente, ele carregava Atena em seus ombros a cada passo do caminho, convencido de que dessa forma ganhava o tipo de sabedoria divina que ela tanto exaltava e modelava por meio de questionamentos; algo que, na verdade, "removia a névoa dos olhos" de um inquiridor e, por consequência, "discerniria tanto o Deus quanto o homem". Mas qual seria o significado disso? Descobrir "o divino interior... por meio do qual você é capaz de estabelecer a distinção entre o bem e o mal".

Com base nessa concepção, sabedoria é um processo, não uma entidade, ela reside na descoberta da melhor forma de limpar essa névoa dos seus olhos, para que você seja capaz de discernir melhor o bem do mal, praticando, portanto, a conduta boa e correta, em vez do oposto disso. Algo que também implica o fato de que a própria sabedoria consegue ser de um tipo bom ou não tão bom assim – é daí que surge o adjetivo sabedoria ética. Esse tipo de sabedoria *não* significa você julgar ou rotular outra pessoa como alguém bom ou mau, independentemente se esse mesmo alguém cometeu atos piedosos ou repugnantes. Está longe disso. Conforme você se tornar cada vez mais dotado de inteligência ética semelhante à de Atena, passará a ser mais capaz de distinguir as atitudes boas daquelas que não são, engajando-se de maneira ainda mais fiel à conduta certa. À medida que você permanecer aquém dessa característica, pode desenvolver cada vez mais a humildade tão necessária para perdoar e entender de uma forma que antes considerava algo impensável.

A jornada de um *Ningen*

Em 2006, eu organizei um Sócrates Café no Hiroshima Peace Park, no Japão – uma troca memorável que explorou o conceito japonês do *ikigai*, que pode ser traduzido como "aquilo que faz a vida valer a pena". As crianças que participaram dessa análise – sobre as quais eu conto em *Socrates In Love: Philosophy for a Die-Hard Romantic* (*Sócrates apaixonado: filosofia para um eterno romântico*, em tradução livre) – viajaram de Quioto para Hiroshima junto com a sua turma de ensino médio para visitar o Museu da Paz, no centro do parque. A maioria delas tinha 11 e 12 anos de idade na época. Aquele Sócrates Café em particular já estava acontecendo e gerando seus debates – nenhum dos participantes adultos havia dito achar que a vida valia a pena ser vivida naqueles tempos – quando os alunos se depararam conosco e viram a minha placa que constava em inglês e japonês: "*Sócrates Café*: todos são bem-vindos". Antes de sua chegada, os adultos presentes declamavam a juventude japonesa como sendo "sem valor" e até "inútil", o verdadeiro flagelo no que se trata dos problemas de seu país, graças à sua suposta falta de apreço pelos valores tradicionais. Sem estarem conscientes disso, os alunos compartilharam conosco os projetos para se construir a paz mundial que planejavam desenvolver ao retornar para casa. Uma das crianças, Arisa, disse que seu *ikigai* dali em diante seria fazer todo o possível para garantir que o que aconteceu em Hiroshima e Nagasaki jamais voltasse a acontecer. E, para cumprir esse propósito, ela disse que, logo que voltasse para casa em Quioto, daria início a uma campanha de envio em cadeia de cartas no formato de e-mail, que oferecia uma oração diária em nome da paz e que incentivaria as pessoas – em todos os lugares, todos os dias – a levarem adiante pelo menos uma atitude que fosse capaz de tornar o mundo mais pacífico. E Arisa fez exatamente isso. Eu participei dessa iniciativa e continuo tentando fazer algo a cada dia que possa tornar o mundo um lugar mais pacífico. Centenas de milhares, ao todo, passaram a fazer parte de seu projeto de envio de e-mails ao longo dos anos. Desde então, Arisa e eu mantemos contato já há muitos anos.

Um pouco mais de um ano atrás, ela abriu uma pequena livraria nos arredores de Quioto junto com um amigo de infância, Yoshio. Cada um deles é casado, ambos têm filhas pequenas. E no início do lançamento de sua livraria eles concordaram que cada um poderia convidar um autor de qualquer parte do mundo para ir até a sua loja como seu convidado, tendo todas as despesas pagas por eles mesmos, a fim de realizar um evento sobre livros.

Arisa me convidou. De Los Angeles até Tóquio, o voo foi de aproximadamente 9.200 quilômetros, em seguida uma viagem de trem com duração de duas horas para Quioto, que um dia foi a capital do Japão, conhecida por seus templos e jardins budistas, além dos santuários xintoístas.

A livraria de Arisa e Yoshio tem mais ou menos o tamanho de um apartamento do tipo estúdio, com luzes suaves, um tapete em tons terrosos e livros expostos do chão até o teto, porém, sem que nada pareça estar amontoado. Eles haviam utilizado de forma magistral cada centímetro quadrado daquele espaço interior, com prateleiras portáteis que abriam e fechavam, mesas sobre rodas capazes de serem reorganizadas ou afastadas em pouquíssimo tempo.

Apenas quinze pessoas, além dos proprietários, assistiram à minha apresentação sobre as minhas viagens socráticas ao redor do mundo, que incluiu uma leitura do meu livro *Sócrates Café*, publicado em japonês. Qualquer vislumbre de culpa que eu pudesse ter sentido pelo fato de os donos terem gastado tanto dinheiro para me apresentarem àquele grupo íntimo sentado diante de mim em cadeiras dobráveis foi compensado e ao mesmo tempo frustrado pela evidente alegria e pelo claro prazer desses mesmos donos. Por qualquer critério que eles tivessem utilizado para classificar o evento como um sucesso, aquilo atendia a tal.

No dia seguinte, aceitei o convite de Arisa e Yoshio para visitar a parte histórica de Quioto e caminhar ao longo do *Tetsugaku-no-Michi*, o Caminho do Filósofo. Essa trilha sinuosa tem cerca de dois quilômetros de extensão, tendo uma faixa de canal que serpenteia ao longo de um lado, parte de uma extensa rede que alimenta a usina hidrelétrica de última geração (a primeira) do país. O nome desse caminho deriva do fato de que o aclamado filósofo japonês Nishido Kitaro (1870-1945) caminhava e meditava por ele quase todos os dias de sua carreira renomada enquanto se dirigia para a Universidade de Quioto e retornava dela. Muito parecido com Sócrates, às vezes Kitaro também podia ser visto sob um estado de absoluta quietude em algum ponto ao longo desse percurso, presumia-se que nesses momentos ele lidava com problemas complexos sobre a natureza da realidade e o lugar do homem no universo, temas sobre os quais ele escreveu em livros *best-sellers* que ainda hoje influenciam grandes pensadores e até pessoas comuns, obras que revelam semelhanças ocultas entre as tradições filosóficas e culturais do mundo.

O Caminho do Filósofo é bastante propício à contemplação – ou a não se contemplar absolutamente nada e sim esvaziar a sua mente. Nós havíamos entrado bem ao norte do Templo Eikan-do. Ainda não era época de floração das cerejeiras, então as árvores cheias de botões que costumam margear o caminho ainda não irradiavam nenhuma explosão rosa – o que significava que a área ainda não estava tão cheia de pessoas quanto estaria em mais ou menos uma semana depois. Na verdade, havia momentos em que tínhamos o Caminho do Filósofo exclusivamente para nós.

Meus companheiros compartilharam comigo que o templo Eikan-do, construído em meados do século IX, recebeu o nome do abade Eikan, amado graças à ajuda oferecida aos pobres e aos doentes. O abade construíra um hospital no terreno do templo a fim de assistir os mais necessitados da região. "O Japão tem tudo a ver com portões, mas geralmente eles são feitos para excluir", disse Yoshio. "Porém, para o abade os portões para entrar neste templo não foram construídos para manter as pessoas fora e sim para que eles soubessem que estava aberto a todos, que eles estavam entrando em um lugar acolhedor e amoroso. Efetivamente, é um portão sem grades."

Essa primeira parte do sinuoso Caminho do Filósofo, ao longo do qual caminhamos, era delimitada por uma encosta verde-escura e arborizada. A água ondulava sobre pequenas pedras no canal do lado oposto, fazendo um som quase musical. O mundo barulhento deixava de existir. Na maior parte do tempo de quase um quilômetro de caminhada, nós seguimos em silêncio, sob um ritmo lento, parando às vezes nos pequenos santuários. Mais ou menos no meio do caminho já bem trilhado, nós subimos uma trilha auxiliar feita de cascalho e entramos em uma casa de chá, que também era conhecida por sua comida vegetariana budista sublime. Ela oferecia uma vista panorâmica da cidade. A entrada era estreita e baixa, justamente por isso tínhamos de inclinar a cabeça. Arisa me disse que aquele lugar havia sido intencionalmente projetado dessa maneira para que os convidados não tivessem outra escolha que não abaixar a cabeça em um movimento de reverência, como forma de cumprimentar o anfitrião da casa de chá.

Depois de fazermos o pedido, eu disse a Yoshio e Arisa que, na minha viagem de trem de Tóquio até Quioto, algo estranho havia acontecido. "Quando o comissário do trem veio furar a minha passagem, ele olhou para ela e começou a acenar para mim. Eu não tinha ideia do que ele estava dizendo, porém, não estava feliz. Então, um homem de traje casual, a cerca de seis fileiras à nossa frente, levantou-se e acenou para o funcionário. Ele sussurrou algo para o outro, em seguida pareceu enfiar a mão dentro de seu suéter. O atendente ficou bastante calmo, deu um leve aceno de cabeça ou talvez tenha sido até mesmo uma reverência para o homem – como se tivesse recebido uma boa gorjeta – e então foi embora, sequer olhou na minha direção de novo. O passageiro me deu um breve olhar, talvez aquilo havia sido até um meio sorriso, e se sentou. E foi isso."

Yoshio perguntou onde no trem eu estava sentado. Contei para ele que eu estava no nível superior, a fim de obter uma boa visão de tudo o que estava passando, e que havia um atendimento individual bastante agradável. Eu mostrei a ele o meu bilhete de embarque perfurado. "Você estava na primeira classe, mas a sua passagem era de ônibus", disse ele. "Aquele homem pagou a diferença da sua passagem e da sua refeição." E a diferença de valor era uma soma principesca.

Yoshio então coloca as mãos nas bochechas, seu olhar era de desânimo. "Eu não deveria ter lhe contado. Esse cavalheiro jamais iria querer que você soubesse o que ele fez."

"Fico feliz que tenha me contado", eu disse a ele. "Gostaria de ter sabido disso ali na hora, a fim de expressar a minha gratidão e me oferecer para retribuir."

"Essa seria a última coisa que ele iria querer da sua parte", disse Arisa. "Ele era um *ningen* real e verdadeiro. Saiba você que na realidade foi *ele* quem se sentiu grato, por poder ser útil a você. Ele não gostaria que soubesse o que ele fez, ou mesmo que sentisse gratidão pela atitude dele, precisamente porque na hora você poderia sentir alguma obrigação de retribuir a ele ou 'pagar depois.'"

"Se você fosse um *ningen* real e verdadeiro, faria o mesmo tipo de coisa que ele fez se visse alguém precisando de ajuda ou em angústia", disse Yoshio. "Ele me lembrou daquela mulher em Chiapas que você conheceu quando era criança, sobre a qual você contou para nós ontem à noite durante a sua apresentação. Um *ningen* real e verdadeiro é como um *batsil winic*, um verdadeiro ser humano."

"*Ningen* é o equivalente japonês para pessoa", disse Arisa. "Mas não significa 'indivíduo'. Uma pessoa *é* um ser social. Isso é o que Aristóteles também nos ensinou. Além disso, significa também aquilo que as pessoas acreditam, tema sobre o qual você teve conversas em Soweto, na África do Sul. Ontem à noite, você compartilhou conosco que eles vivem sob o conceito democrático tribal do *ubuntu*, 'Eu estou em você e você está em mim'."

Ela então disse: "A primeira parte de *ningen* – *nin* – significa 'ser humano', e a segunda – *gen* –, 'espaço' ou 'entre'. Um *ningen* não é simplesmente uma entidade, uma que é humana, mas que existe entre os espaços – entre e em meio a nós, a outras pessoas, outros lugares, outras coisas, outros mundos".

E então: "O meu marido e eu compramos uma casa, depois de economizar dinheiro por muito tempo. Nós queríamos que a nossa futura garotinha fosse criada em uma casa que fosse nossa. Havia um *kudzu* feio no jardim da frente, algo que se parece com enormes arbustos monstruosos, invadindo o nosso quintal e a fachada da nossa casa, estava até mesmo corroendo os tijolos. Um dos nossos vizinhos se aproximou para se apresentar. Perguntei-lhe se conhecia alguém que pudesse remover todo aquele *kudzu*. Ele disse sem hesitar: "Eu mesmo vou fazer isso". E ele fez, no dia seguinte. Levou o dia inteiro, foi um trabalho exaustivo, além disso ele também o transportou em uma caminhonete por uma longa distância até onde se descarta esse tipo de coisa. Foram necessárias quatro longas viagens, a traseira da caminhonete dele foi completamente cheia toda vez, a fim de carregar tudo e despejar lá. Ele se recusou a aceitar qualquer tipo de pagamento.

"Estou sendo apenas um vizinho", disse ele. Ele não disse "bom vizinho", somente "vizinho".

"Um tempo depois, eu fiquei sabendo por outro vizinho que ele havia alugado uma caminhonete para fazer todo o transporte. Eu fui até a casa dele e insisti que me deixasse pagar pelo menos o aluguel e a gasolina. Ele ficou muito chateado. Quase ao ponto de parecer estar perturbado. Ele não queria a minha gratidão. 'Isso é exatamente o que nós fazemos', disse ele. Ele não disse 'o que eu faço'. Mas 'o que *nós* fazemos'."

"*Ningen* se traduz como 'interpessoal' ou 'inter-humano'", disse Yoshio. "Você não existe se não estiver no contexto das suas relações. Quer percebamos isso ou não, todos nós nos apoiamos uns nos outros – apoiamo-nos nos nossos semelhantes, na sociedade, no universo, e eles também se apoiam em nós. Isso nos torna quase como humanos sem fronteiras.

"Perceba que você não se torna um professor excepcional, ou um político, dono de livraria ou consultor financeiro e depois, como consequência, se torna um *ningen*. Quando você é um *ningen*, não importa qual seja o seu objetivo, você será excepcional nisso, de uma maneira que beneficia mais a todos e a tudo."

Então Arisa disse: "Aquele homem no trem não se importa com o seu *status* social. Ele também é capaz de ajudar uma pessoa rica que de alguma forma está necessitado de algo. Ele não faz nenhuma distinção. Ajudará sempre que perceber uma oportunidade, sem nenhuma expectativa ou mesmo desejo de obter nada em troca. Isso deu a *ele* gratidão e satisfação."

"Atitudes de um *ningen* que é real e verdadeiro são feitas a fim de que passem despercebidas, no sentido de que a pessoa que as faz não quer chamar nenhuma atenção para si mesma. Tudo o que importa é a atitude em si. Tome como exemplo Chiune Sugihara. Ele viveu como se a sua própria vida não valesse a pena ser vivida, a menos que ele estivesse disposto a colocá-la em risco em prol dos outros, caso as vidas deles fossem tratadas como se valessem menos do que a dele."

Chiune Sugihara era um diplomata japonês que residia na Lituânia. Durante o verão de 1940, ele desafiou as ordens dos seus superiores em Tóquio e emitiu mais de seis mil vistos para judeus lituanos e refugiados judeus da Polônia, na época ocupada pelos alemães e soviéticos, para que eles pudessem fugir da Europa. Sugihara havia sido transferido para Kaunas, na Lituânia, no outono de 1939, para abrir um consulado. Como nenhum cidadão japonês morava naquele país, Sugihara não conseguia entender a razão de ele ter sido enviado para lá, ainda que nessa mesma época o Japão fosse um aliado da Alemanha nazista, que invadira o país. Em 1940, refugiados e outros que temiam a perseguição passaram a chegar diariamente nos portões do consulado dele, a maioria de judeus poloneses em busca de uma saída da Europa. Sugihara e a família - ele morava em um pequeno apartamento dentro do consulado com a esposa e os filhos pequenos, que incluía um recém-nascido - na maioria das manhãs acordavam justamente com os candidatos clamando nos portões, a fim de obterem um visto. Seus chefes em Tóquio haviam dito a ele, e em termos inequívocos, que estava proibido de emitir vistos para eles.

Depois de, por meio de relatórios de inteligência, descobrir qual seria o destino horrível caso aqueles que buscavam uma fuga não conseguissem obter vistos, Sugihara desafiou as ordens de todos os seus chefes. Ao longo de dois meses, dormindo pouquíssimo, ele emitiu milhares de vistos e fazendo isso à mão. A sua esposa, que não saía de seu lado, massageava as suas mãos com cãibras para que ele pudesse continuar escrevendo e despachando. Por causa de Sugihara e sua esposa, milhares de judeus poloneses, em busca de refúgio tanto dos invasores soviéticos quanto da perseguição nazista, puderam então partir e sobreviver.

"Nem mesmo os seus filhos souberam sobre o incrível feito dele até que fossem muito velhos", Arisa me disse. "Tudo isso constava nos registros oficiais, porém, Sugihara jamais fez uma única menção sequer a isso pelo resto da vida dele. Para ele, esse heroísmo não passava de 'aquilo que fazemos'."

Em 1984, quando o esforço heroico de Sugihara finalmente veio à tona, ele foi citado no Yad Vashem – o memorial oficial de Israel dedicado às vítimas do Holocausto – como sendo o "justo entre as nações", um título concedido a não judeus que haviam arriscado suas vidas para resgatar judeus do Holocausto. "Um livro que li sobre ele o descrevia como 'um verdadeiro *mensch*', o equivalente em iídiche para designar uma pessoa de honra e integridade", disse Yoshio. "Tenho certeza de que Sugihara teria ignorado esse elogio e simplesmente dito: 'Eu sou um *ningen*'. O significado disso: qualquer outro *ningen* que se deparasse com tamanha situação teria feito a mesma coisa." Sugihara estava testemunhando – não apenas aprendendo os verdadeiros fatos sobre o pesadelo daquilo que realmente estava acontecendo, no entanto, pela maneira como ele agiu sobre o que descobriu. Ele sentiu que era dever e responsabilidade dele. Mas não teria colocado em tais termos explícitos, porque isso é algo desnecessário."

Existe um longo intervalo de silêncio confortável. Eventualmente, Yoshio disse: "As pessoas não são 'atomistas' pelo conceito *ningen*. Elas são compostas de todas as incontáveis relações e conexões que forjam e fomentam conforme interagem com o universo. Um *ningen* valoriza os intervalos do espaço, os 'entre-meios' – assim como os inícios e finais do espaço, a vida e a morte".

Ao que Arisa disse: "As pausas e os silêncios – pausa na fala que transmite tamanho significado, ou mesmo o silêncio entre as notas que criam a música. Esse espaço entre as notas musicais, esses silêncios dão forma ao todo daquilo que está sendo dito, composto ou mesmo executado.

"O conceito japonês de *ma* significa o espaço, a lacuna ou o intervalo entre coisas ou eventos, sejam eles espaciais ou temporais

– contudo, é algo que os conecta em vez de separá-los. É parecido com o silêncio experienciado entre as notas de uma melodia."

Yoshio então disse: "Também pode significar 'abertura'. Nós temos um termo para isso – *mono ko ma*. *Mono* significa 'coisa'. Quando você combina os termos *mono* e *ma*, significa 'a abertura entre as coisas' – e por coisas não se entende somente os objetos, mas também as pessoas, os eventos, os sentimentos, até o próprio tempo".

"Ou", continuou Arisa, "pode ser aquele espaço, aquele intervalo entre o que é familiar e o que é estranho, entre algo e nada, entre o que pode ser descrito e o que não pode ser explicado com palavras, até mesmo entre a memória e a perda".

E isso me dá uma pausa considerável. "Então, mesmo que seja entre a vida e a morte. Não tanto uma passagem ou transição, mas sim um conector." Segui dizendo a eles que isso me trazia à mente aquela linda passagem de *The Bridge of San Luis Rey* (*A ponte de San Luis Rey*, em tradução livre), vencedor do Prêmio Pulitzer, do autor Thorton Wilder, que li diversas vezes desde que o meu pai morrera.

> Mas o amor terá sido suficiente; todos esses impulsos amorosos retornam ao amor que os criou. Nem mesmo a memória se faz necessária para o amor. Existem uma terra dos vivos e uma dos mortos, já a ponte para ambas é o amor, a única sobrevivência, o único significado.

E então eu disse para eles: "Não tenho certeza se essa ponte entre as duas terras é, por natureza, o amor em si. Cabe a nós construí-la com os materiais fornecidos pelo amor. Caso contrário, a ponte desmorona".

Quando nós saímos da casa de chá já era tarde. Os vaga-lumes começavam a aparecer no Caminho do Filósofo por onde retornamos. "Toda vez que ando por aqui, eu me sinto próximo de Nishida Kitaro", disse Yoshio. "Esse caminho veio à tona a partir das milhares de vezes que ele percorrera essa mesma trilha ao longo de muitas décadas."

Ao longo dos anos, eu li muito sobre Kitaro, que não só absorveu a filosofia ocidental, começando com os gregos antigos, como também conseguiu integrar a melhor parte dela à filosofia oriental, em particular a japonesa. Em uma época na qual o seu próprio país foi tomado por um fervor nacionalista, ele se propôs a mostrar como somos nós maravilhosamente iguais.

Um dos seus protegidos, Nishitani Keiji, escreveu isso sobre Kitaro, dizendo que sempre que ele filosofava

> as palavras fluíam dele como se estivessem carregadas com eletricidade e ocasionalmente irrompiam em relâmpagos... para mim, era como ouvir uma música grandiosa – às vezes, fazendo-me sentir tocado por algo no meu íntimo; por outras, flutuando pelo ar como se estivesse sob as asas de um pássaro. Seus discursos realmente tocavam o espírito.

Kitaro se manteve um *ningen* durante uma época de completa insanidade nacional, mesmo quando experimentou uma tragédia em sua vida particular: a sua esposa morreu depois de uma doença prolongada e quatro dos seus oito filhos morreram jovens, três deles de tifo. Enquanto percorria o Caminho do Filósofo, dizia-se que os magníficos pinheiros e as cerejeiras em flor, acompanhados pelos antigos templos e santuários, ofereciam-lhe consolo. Enquanto ele era visto com frequência andando pelo *campus* em conversas animadas com alunos e colegas, no Caminho do Filósofo ele seguia sozinho; aquele era um retiro que o ajudava a lidar com a perda excruciante das diversas pessoas que ele mais amava. Também o inspirava intelectualmente, conduzindo-o rumo a novos caminhos filosóficos a serem considerados, sempre partindo daquilo que ele chamava de experiência pura, ou direta, abrindo caminho para fora.

Ao chegarmos ao extremo sul do Caminho do Filósofo, vimos uma pedra que comemora Nishida Kitaro. "Ele também escrevia a poesia breve *waka*", disse Arisa. "Escreveu um poema depois da morte do seu primeiro filho. Parte dele: 'como pôde ele desaparecer como um sonho'. Em outro, sobre a perda de tantos familiares, consta: 'O fundo da minha alma tem tanta profundidade; nem mesmo a alegria ou as ondas de tristeza são capazes de alcançá-la.'"

Arisa me olhou. "A sua própria alma é composta por ondas de alegria e de tristeza. Não há parte de cima ou de baixo, superfície ou profundidade. É o espaço intermediário, o *Ma*. Para alcançá-lo – lugar e espaço –, você precisa encontrar o portão sem grades dentro dele. Se você o encontrar, seu pai estará lá para recebê-lo e então abri-lo para você."

O mundo intermediário

Na viagem de volta, no trem de Kyoto para Tóquio, ponderei mais esse conceito profundo de *Ma*. Quase todas as minhas interações com as pessoas que tive a grande sorte de encontrar durantes essas viagens intensas, à la Sócrates retratado nas obras de Xenofonte, ocorreram em intervalos, pausas – nos espaços entre o formal e o informal, o intencional e o inesperado. Foram de benefício imensurável para entender como lidar melhor com os tipos mais chocantes e dolorosos de perdas e tristezas - de fato, as conversas em si, o "processo" de ter interações sinceras com pessoas que realmente se importam - foram a maior salvação.

Fui levado ainda mais a questionar, nesta era marcada e maltratada por extrema polarização, racismo, violência, ódio e os atos de maldade resultantes disso - e agora uma pandemia que se desdobrava como nada que eu já tinha presenciado na vida -, se a criação obstinada de uma *Ma* carinhosa pode atuar como o espaço que cria encontros humanos muito mais propensos à redenção. Pode ser a ponte que suplanta os abismos que construímos entre aqueles que vemos como um de "nós" e aqueles a quem olhamos como "eles", ou, pior, "o outro". Essa ponte tem de ser feita de amor?

Em *Rendezvous with the Sensuous: Readings on Aesthetics* (*Encontro com o sensual: leituras sobre estética*, em tradução livre) Linda Ardito repara que depois que Sócrates saiu de um de seus estados contemplativos, ele e os amigos fizeram um brinde e apreciaram a música:

> é notável que a música sublinha a importância desse momento [no *Simpósio*] [...] contrastada e pontuada pela cena precedente de Sócrates num estado silencioso e transfixo, ali perto, numa varanda [...] Aqui, Platão dá, artisticamente, um espaço acústico para sugerir a quietude que leva ao pensamento profundo, meditativo...

O que fica por tocar, por dizer, em tais espaços acústicos - não um vazio; tampouco, entretanto, um limite ou uma ponte, mas um ente em si - é igualmente integral, enquanto o espaço acústico que ela descreve para ser crucial para entender como grandes pensadores como Sócrates e Nishida Kitaro contemplam.

Fora da trilha batida

Parmênides, filósofo pré-socrático, considerado um dos mais importantes filósofos - se não o mais importante - antes de Sócrates, foi o fundador da escola eleática de filosofia, batizada com o nome da cidade grega costeira de Eleia, onde ele morava. Seu único escrito existente, o prólogo de 150 linhas de *Sobre a natureza*, poema em prosa, busca reconciliar a unidade da natureza com sua variedade infinita.

Como conta Parmênides, ele é levado de carruagem até o portão que fica entre os caminhos do dia e os caminhos da noite. No portão, ele é impedido de modo mesquinho pela Senhora Justiça, que detém as chaves e decide quem pode passar. As donzelas de Parmênides a persuadem a abrir os enormes portões, que abrem devagar. Após passar, Parmênides vai até a deusa Perséfone, que "me recebeu com gentileza. Tomou minha mão direita na dela e falou, dirigindo-se a mim com estas palavras:

> 'Meu rapaz... não foi má sorte que o persuadiu a viajar nesta direção. Pois má sorte nenhuma poderia colocá-lo para viajar nesta estrada, bem longe daquela que tomam os homens mortais, e muito além de seus caminhos batidos; Não, foram Retidão e Justiça que o trouxeram até aqui para aprender todas as coisas – tanto o coração inexorável da verdade íntegra quanto as opiniões dos mortais...'

Se quiser chegar a bons *insights*, se quiser "ver a luz" em vez de ficar atolado na escuridão, você precisa do ponto inicial adequado para tanto. O filósofo existencialista alemão Martin Heidegger era apaixonado pelos pré-socráticos, especialmente Parmênides e sua busca pela essência do Ser – que chamava de "o caminho do ser". Uma das últimas obras publicadas por ele intitula-se *Off the Beaten Track* (Fora da trilha batida). Heidegger tinha uma casa na borda da Floresta Negra e costumava caminhar numa *holzweg*,* uma trilha de lenha, numa floresta próxima, que levava até uma clareira. Heidegger sugere que a maioria dos modernos perdeu-se no caminho, que não faz a menor ideia de como encontrar os tipos de *holzweg* pelos quais embarcar em jornadas que levam a uma clareira na qual há *lichtung*, um lugar de luz e espaço aberto no qual você "vê" com luzes novas e diferentes.

Um apreciador inveterado de fazer trilha, Heidegger, como Nishida Kitaro, reparou que caminhar regularmente pelo mesmo caminho conhecido – e que forneça quietude sem paralelo – pode colocar a pessoa naquele estado contemplativo que pode levar a mistificar (no melhor sentido) destinos totalmente desconhecidos – a novos caminhos e verdades e luzes (revelados, nesse caso, numa prosa infelizmente opaca, senão impenetrável). Heidegger não pensava em outra coisa além do tempo. Ele alcançou um ponto de vista que não é do tipo linear, com uma tríade nítida de passado, presente e futuro, e portanto os tempos não são contrapostos por algum tipo de eternidade. Ao contrário, pensava ele, os humanos *são* o tempo. Isso concorda com Jorge Luis Borges, que escreveu, em *Labirintos*:

> O tempo é a substância de que sou feito. O tempo é um rio que me varre, mas eu sou o rio; é um tigre que me destrói, mas eu sou o tigre; é um fogo que me consome, mas eu sou o fogo. O mundo, infelizmente, é real; eu, infelizmente, sou Borges.

---

* Palavra usada numa expressão que significa, em sentido figurado, estar no caminho errado, rumo ao fracasso.

Testemunhando

Em 1967, minha família mudou de Newport News, Virgínia – o único lugar que eu conhecia na vida, além das estadias de meses em Tampa, no verão –, para o norte cosmopolita do estado da Virgínia, nos arredores da capital do país. A mudança foi essencial para o meu pai, um homem ambicioso, poder fazer seu caminho para o topo da escada burocrática no labirinto que é o Departamento de Defesa. Esses foram os meus anos de formação, não somente pelas questões normais do crescimento, mas ainda mais por causa de tudo que estava acontecendo na cena civil e política, principalmente na região da grande Washington D.C. Enquanto morei lá, passei pela quarta, quinta e sexta séries, apaixonei-me pela primeira vez (Sarah Miller, onde está você agora?), e tinha, graças ao meu pai, o que viria a ser uma vocação indelével à consciência e ao serviço.

Nessa época em que morávamos na região da capital, no subúrbio de Arlington, Virgínia, em diversas ocasiões, meu pai anunciou à minha mãe: "Chris e eu daremos um passeio". Eu largava qualquer coisa que estava fazendo, louco para ir. Minha mãe mordiscava o lábio, numa preocupação evidente, embora não dita. Ela sabia do que se tratava. Uma dessas ocasiões foi em abril de 1968. Meu pai e eu saímos no nosso Oldsmobile Dynamic 88 marrom, que ele tinha comprado usado a ótimo preço, e viajamos do nosso tranquilo lar, nos subúrbios agradáveis de Arlington, para a porção sudeste de Washington D.C. Embora fossem quase dez quilômetros de distância, eram mundos separados. Nessa parte da cidade profundamente segregada, menos de uma semana antes, explodiram protestos logo após o assassinato do Dr. Martin Luther King Jr. Eles continuaram por quatro dias cheios de tensão e tinham encerrado poucos dias antes de passarmos no local. Quando chegamos, meu pai foi dirigindo bem devagar. Ali vimos o resultado do tumulto que deixou a intensa sublevação de raiva contra uma máquina que permitia amplas inequidades. Em silêncio, passamos por quadras com vitrines quebradas; alguns prédios ainda soltavam fumaça.

Moradores reunidos em grupos nas esquinas nos olhavam incrédulos conforme passávamos. Uma pessoa estava perto o bastante para que eu a ouvisse dizer: "O que esses branquelos malucos estão fazendo?". Deixaram que passássemos em segurança, talvez porque, em inspeção mais minuciosa, viram que a pele do motorista ao meu lado, debaixo da camisa branca brilhante, não era branca feito o lírio, mas morena. Não sei. Só sei que o meu pai também foi vítima de um racismo virulento. Foi provocado, sem dó, por alunos brancos na escola pública em que estudou, na Virgínia, por causa do sotaque grego carregado. Depois disso, meu pai cresceu num conjunto habitacional segregado, na Flórida. Ele sabia muito bem como era levar duas pauladas na cabeça antes mesmo de ter passado pelo portão para entrar nesta coisa chamada vida.

Meu pai e eu não trocamos nem uma palavra sequer enquanto passamos por esse lugar. Já bastava meu pai ter visto aqueles acontecimentos nos telejornais, em segurança. Não tivemos reação. Nós absorvemos. Nós testemunhamos.

Dois meses depois, no começo de junho, meu pai disse à minha mãe mais uma vez que ia me levar para passear, dessa vez ao Lincoln Memorial. Fiquei confuso, visto que ele sempre dizia quanto detestava visitar os pontos turísticos típicos da capital ("uma vez basta" era o bordão dele). O que eu não sabia, quando saímos de casa, era que, em meados do mês de maio, fora instalado um acampamento chamado *Resurrection City*, desde o *National Mall*, perto do Espelho D'Água, até o *Lincoln Memorial* (onde existe, agora, um novo memorial da Segunda

Guerra Mundial). Milhares de famílias em desesperada condição de necessidade – brancos, negros, nativos americanos, latinos –, junto com ativistas antipobreza que militavam por eles, tinham convergido ali, vindo de todo o país. Armaram barracas para o acampamento, mas isso era só metade da história. Criaram uma cidade improvisada totalmente funcional, incluindo refeitório, escola e creche, que no auge teve mais de 2.700 moradores. A meta da Campanha pelo Povo Pobre era atrair atenção às graves e crescentes inequidades na América.

Meu pai quis ver com os próprios olhos e quis que eu visse com meus próprios olhos. Ele sabia como era crescer na pobreza (e, no caso dele, sem o pai desde os sete anos de idade), e as chances parcas de escapar dela. A pergunta não pronunciada que meu pai me fez foi: como você pode sentir a dor e o sofrer daqueles que não têm posses ou privilégios se você não vê de perto, pessoalmente, a cruz que eles carregam dia após dia? Jamais me esquecerei do encontro com uma jovem afrodescendente ali. Ela trazia consigo quatro filhos. Dois bebês nos braços, que pareciam ser gêmeos idênticos, uma menina atrás dela, outra agarrada na saia, determinada a brincar com ela. Ela veio até mim. "Segura o bebê, por favor." O bebê berrou, no começo. Acho que foi instinto, da minha parte, fazer uns barulhinhos e dar uma ninada nele, um pouquinho. Enquanto isso, a mãe deu de mamar ao outro bebê, e de algum modo conseguiu entreter as outras crianças numa brincadeira de esconde-esconde. Finalmente, a mãe – com uma expressão no rosto que indicava que ela estava menos sobrecarregada, por ora – pegou de volta o bebê que estava comigo. "Obrigada", disse ela. Não sei como nem por que ela confiou em mim, mas confiou. Não sei como nem por que o bebê, aninhado nos meus braços, se acalmou, mas ele se acalmou.

Aos oito anos, tornei-me uma criança com uma missão. Comecei a ler tudo e qualquer coisa em que punha as mãos, na biblioteca local, sobre a pobreza no mundo. Li sobre os muitos milhões que morrem de doenças que têm prevenção, de desnutrição e inanição pura, e por estar no centro de conflitos violentos que não causaram. Eu investiguei e refleti sobre qual seria o melhor jeito de eu intervir. Logo instalei um quiosque no meio-fio, em frente de casa, para juntar dinheiro durante o ano todo para a Unicef, que atende crianças nos bolsões mais empobrecidos dos EUA e mundo afora. Não bastava, para mim, bater de porta em porta no Halloween, como uma atividade de caridade anual. Na escola, recebi permissão especial para armar uma mesa no refeitório uma vez por semana. Eu estava determinado a fazer o que podia pelas crianças vulneráveis do mundo – aquelas que a Unicef atendia que não estavam tão longe do meu quintal, e aquelas que moravam do outro lado do mundo. Minha meta era, e continua sendo, a meta da fundação da Unicef, em 1947: "construir um mundo que sirva para as crianças".

Indústria da Dor

Eu acabava de entrar a bordo do Boeing 777 que me levaria por quase oito mil quilômetros rumo ao sul, mais a sudoeste, de Tóquio a Perth, na Austrália. Recebi o grau de doutorado de Edith Cowan, na Universidade de Perth, em 2010. Minha dissertação explorava a fundo se a versão do método socrático que eu desenvolvera e espalhara pelo mundo desde 1996 provara ser um meio efetivo de esculpir cidadãos mais engajados e alcançar sociedades mais participativas e abertas (minha conclusão acadêmica e prática: é uma mistura – ou, dito de outra forma, em grande parte, sim, mas não de todo).

Eu estava retornando ao oeste da Austrália pela primeira vez, desde que recebera o título do doutorado, para dar palestras. Estava sentado junto ao corredor. A mulher ao meu lado, Linda, era uma enfermeira aposentada. Ela disse, com orgulho evidente, que foi chefe da enfermagem do setor de emergência de um hospital perto de Perth por mais de 33 anos. Contou-me que estava voltando para ajudar esse hospital no qual trabalhara. Queria estar disponível para atuar quando e se a equipe ficasse sobrecarregada com pacientes que testassem positivo para o coronavírus (na época, a Covid-19 ainda não tinha sido declarada uma pandemia pela Organização Mundial da Saúde). Linda disse que tinha uma casinha na costa oeste da Austrália a cerca de 45 minutos de carro do hospital. Ela mal podia esperar para voltar para lá e apreciar o pôr do sol naquele mar azul profundo da varanda da casa que comprara três décadas antes. Embora fosse sentir falta do marido, pois já sentia a falta dele, tremendamente, disse que eles planejavam encontrar-se pessoalmente a cada duas semanas.

Existe algo que acontece quando você está num avião, mesmo antes de decolar, que pode incitar pessoas como Linda e eu a partilhar mais do que faríamos normalmente com desconhecidos, se estes parecerem ser gentis e estar a fim (e até precisando) de um bom papo. O marido de Linda ocuparia um cargo no governo, em Tóquio, pelos cinco anos seguintes. Ela me contou que se casara pela segunda vez três anos antes e estava tão estaticamente feliz quanto profundamente apaixonada. "Eu não esperava ter outro relacionamento sério", contou. "Demorou um bom tempo para eu me convencer de que, dessa vez, eu realmente tinha encontrado o meu Príncipe Encantado."

Ela me contou que, dezoito anos antes, deixara o cargo de chefe da enfermaria na emergência do hospital em que trabalhava quando o primeiro marido foi diagnosticado com câncer. "Ele é um acadêmico bem-sucedido, acredite você se quiser, em filosofia", disse ela. "Por mais de três anos, sem trabalhar nem receber, eu cuidei de tudo de que ele precisava, dia e noite. E com alegria. Ele entrou em remissão. Conseguiu voltar a ter vida produtiva total, e profissional. E privada, uma vida privada secreta. Dois anos depois que retomou a vida normal, ele me largou por outra mulher.

"Nossa filha mais velha ficou tão arrasada que ficou internada numa casa de saúde, por um tempo. Eu nem imaginava. Eu tive a fase 'Como ele pode fazer isso comigo depois de tudo que eu fiz por ele?'. Depois passei a me culpar. Depois fiquei como que num transe. Encontrava consolo no trabalho e nos filhos.

"Até onde eu sei, a vida do meu ex seguiu numa boa. Ele e a esposa têm dois filhos. Eu contava com o karma, mas não vi nada acontecer. A não ser que seja karma reverso. Quer dizer, eu não posso nem imaginar não ter o Alan como marido. Ele é tão perfeito pra mim... e espero ser para ele. Sei que posso confiar nele, que ele jamais me magoará de propósito. Mais que isso, ele me ajuda a descobrir o que eu ainda quero fazer da vida, e dar um jeito de fazer."

Eu disse a Linda que, depois de cumprir com as minhas obrigações no oeste da Austrália, planejava ir a Uluru, também conhecida como Ayers Rock, no coração do território ao norte. Por muito tempo, eu me arrependera de não ter me aventurado por lá durante o período que passara em Perth, fazendo o doutorado. Eu lhe disse que estava determinado a ir até lá, agora que estava daquele lado do mundo, e sem nunca saber quando e se voltaria para aquelas bandas.

"Foi em Uluru que eu e o Alan passamos a lua de mel!", ela diz, encantada. "Eu já tinha ido lá uma vez, cerca de um ano depois do divórcio. Achei que é um local de cura. Quis voltar pra lá e partilhar isso com o Alan."

Uluru possui um marco natural de arenito elevado em forma oval que, dependendo da hora do dia, é de um vermelho ou laranja ou marrom deslumbrante, como um monólito erguido pouco mais de cem metros acima do nível do mar. É considerado sagrado pelo povo aborígene da Austrália, que acredita que o marco se formou durante "o Sonho", o tempo em que espíritos antigos criaram a terra e a povoaram. Embora o Sonho tenha criado todas as massas de terra, mares e rios da Terra, certos lugares cheios de alma, como Uluru, são considerados especialmente sagrados desde o início da criação. Os aborígenes consideram Uluru um panorama vivo, que respira, e o local de descanso dos espíritos antigos. Hoje, é uma área de proteção indígena, guardada pelos grupos aborígenes australianos conhecidos como anangu (que significa "povo"), descendentes dos criadores dessa terra e considerados uma das mais (se não a mais) antiga cultura que existe. Os anangu, até hoje, apesar de gerações anteriores de brutal opressão governamental e deslocamentos causados por racismo, continuam a viver segundo os costumes e leis antigos que regem todas as suas relações entre pessoas, animais e com a própria terra.

Linda passou a me contar que a guia, quando ela visitou Uluru pela primeira vez, era uma anciã aborígene chamada Watyale, que era uma entre cem mil crianças que foram arrancadas de sua família e sua terra natal. "A política de remoção de crianças, do governo, só foi parar em 1967, e Watyale finalmente foi reunida com os membros da família que restavam", ela contou. "Ela faz parte da 'geração roubada', separada da família, que lhe foi roubada, bem como o idioma, a terra, a cultura. Contou-me que ainda sofre pelo vazio profundo que tem na vida, causado pelo racismo institucionalizado."

Após uma pausa, Linda prosseguiu. "O que eu vivi quase não dá para comparar, mas eu contei a Watyale sobre o meu sofrimento, a perda da confiança, da estima, da identidade. Ela me convidou para um dos ritos de cura deles. Ela me deixou participar de um rito íntimo, privado, especial, da comunidade dela. Não posso contar muita coisa, mas o processo de cura deles gira em torno da filosofia de que você não pode viver no passado; em vez disso, precisa deixar o passado viver em você de modo que faça da vida, da sua vida, um presente de novo. Então você deve achar o seu caminho para que o passado viva dentro de você de um modo que o inspire a escolher uma batalha, e lutar contra as injustiças e os sofrimentos de hoje."

"Desde a era da remoção de crianças, os aborígenes começaram a se referir à dor que partilhavam como 'Indústria da Dor'", diz Linda, em seguida. "Eles usam esse termo, agora, para qualquer tipo de dor profunda – e sobre canalizar essa dor de modo que possa ajudar os outros, principalmente os jovens."

"Foi a maior honra, o maior privilégio da minha vida ser incluída por Watyale e a comunidade dela no rito da Indústria da Dor. Ela disse que a inspiração dela para lidar com o sofrimento foi o exemplo dado por Shirley Colleen Smith, que era bem mais que dez anos mais velha."

Humanitária reverenciada pelos australianos progressistas, Shirley Colleen Smith era uma assistente social e ativista humanitária aborígene que enfrentou e depois canalizou o racismo virulento da época dela, contra os aborígenes, e tornou-se líder na militância por justiça e bem-estar social para os australianos aborígenes. Por todo o país, ela estabeleceu serviços legais, médicos e para as crianças, todos voltados aos aborígenes.

"Minha inspiração para ser enfermeira era a minha mãe", ela diz, pouco depois. "Minha mãe era uma verdadeira curandeira. Tinha muita paixão e amor pelo trabalho e pelos pacientes. Via-se nos olhos dela, mesmo depois dos dias mais exaustivos. Muitas vezes, não tinha creche disponível, então eu acabava indo junto com ela ao trabalho. Os colegas dela me recebiam de braços abertos. Eu podia vê-los em ação. Eu soube, desde criança, que queria ser enfermeira também, para ajudar a melhorar a saúde e a vida das pessoas, como minha mãe fazia."

Linda começara a me contar sobre a vocação que acabara de descobrir – tinha recebido certificado de professora de Qigong –, enquanto o avião taxiava pela pista, quando recebi uma ligação. Eu ainda não tinha desligado o celular. Era a minha patrocinadora principal na Austrália. Ela me informava que todos os meus eventos tinham sido postergados indefinidamente por causa do surto do coronavírus. Apenas dois dias antes, ela tinha me garantido que o *show* ia continuar.

Apertei o botão para chamar a aeromoça. Contei-lhe o que tinha acontecido e perguntei se podia, de algum jeito, sair do avião, e quem sabe recuperar a bagagem, que já tinha despachado. Esperava um "não" bem firme, talvez até zombeteiro. Eu nunca tinha viajado por uma linha australiana e esperava que a resposta fosse a que eu receberia se fizesse um pedido desses num dos grandes aviões norte-americanos.

"Sim, claro", disse ela, sem hesitar. E entrou em ação. Pegou, imediatamente, o telefone da cabine e falou com o capitão. Depois veio me passar que sim, eles iam virar o avião, estacionar de novo, me deixar descer e pegar minha bagagem. E foi o que fizeram. Além disso, ofereceram passar meu voo de retorno para qualquer lugar aonde eu precisasse ir, sem nenhum tipo de taxa adicional.

Havia dois lugares para os quais eu sentia que devia ir antes de voltar para casa, para a minha família. Eu nunca nem sonhara que me veria numa corrida contra o tempo e uma pandemia, mas era assim que eu estava.

Insônia em Busan

Eu tinha catorze horas de espera até poder embarcar no voo para os EUA. Resolvi ficar esperando no aeroporto. Entrei num *lounge* 24 horas, liguei o *notebook* e planejei ficar escrevendo pelo resto da noite, até e contanto que não pegasse no sono. Pouco depois das duas da manhã, recebi isto no Messenger do Facebook: "Dr. Phillips, quais são suas ideias acerca da depressão?".

Mensagem de Jiyoung. Dois anos antes, essa alma vivaz, de um questionar insaciável, que na época tinha apenas dezoito anos de idade, tinha se deparado com meu *Six Questions of Socrates* (*Seis questões de Sócrates*, em tradução livre) na estante da biblioteca da escola particular em que estudava, no noroeste do Pacífico. Ela leu o livro em duas sentadas – e em seguida pôs-se a organizar o que se tornou um encontro sobre Sócrates persistente e contínuo assim que retornou à sua casa, em Busan, Coreia do Sul – a segunda maior cidade, situada no canto sudeste do continente, conhecida por seus deslumbrantes edifícios históricos e praias cintilantes.

Na época em que Jiyoung voltou à escola, nos EUA, no começo de setembro desse ano, o encontro sobre Sócrates que ela começara tinha se tornado um evento fixo, e muitos outros participantes se voluntariavam para se revezar para guiar os encontros até que ela voltasse no Natal; de fato, dois outros encontros brotaram deste, um em Busan e outro em Jinju.

Eu conheci Jiyoung primeiro indiretamente, logo depois que ela leu o meu livro, por uma mensagem entusiasmada de e-mail que ela enviara ao decano de humanidades da escola dela, em que ela me copiara:

> Eu queria lhe apresentar esse filósofo/escritor/aventureiro/acadêmico maravilhoso... Ele fez um trabalho incrível levando a filosofia não somente para mais pessoas, mas para muitas escolas... Além de escrever livros, como *Constitution Cafe*, *Six Questions of Socrates*, e ser traduzido mundialmente, ele estudou ética em Harvard, onde fez um trabalho muito interessante que eu mal posso compreender, falando francamente.
>
> Ele foi instrumental na minha formação, principalmente por ter me fornecido um modelo do tipo de formação que eu desejo: uma conversa mais profunda, que iguale mais o campo de atuação intelectual e moral entre professor e aluno, abordando com seriedade os textos iniciais, pensando filosoficamente sobre tudo!

Quando eu finalmente visitei a escola de Jiyoung para falar sobre os meus esforços para "ressuscitar e reinventar a democracia", ela já tinha se formado. Ela esperava fazer uma visita enquanto eu estava lá, mas a carga de trabalho na universidade da Ivy League na qual ela estudava então no primeiro ano provou-se exigente demais para permitir isso. O que eu fiz, no entanto, para honrá-la e agradecer, foi começar a minha palestra com um *slide* sobe Jiyoung. A maioria a reconheceu de cara e se levantou para ovacionar, em homenagem a ela – e tudo isso, eu filmei e mandei para ela.

Jiyoung e eu tivemos conversas frequentes sobre filosofia por vídeo, no Skype ou no Facebook. Em nosso mais recente *tête-à-tête* virtual, alguns meses atrás, nós exploramos "Como saber quando estamos apaixonados?". Ela disse que achava um desafio descobrir ou determinar se ela estava real e verdadeiramente amando e apaixonada.

"É principalmente um sentimento? Ou é também uma decisão?", ela queria saber. Nossa exploração nos trouxe à mente o diálogo que tive, em 1996, com minha futura esposa Ceci, quando nos conhecemos num encontro sobre Sócrates, e ela foi a única a participar (eu conto essa história em *Socrates Café*; a questão que explorei nessa noite fatídica com a mulher que viria a ser a minha própria Diotima foi: "O que é amor?"). Ao final da nossa discussão, Jiyoung concluiu que estava perdidamente apaixonada.

Após ler a mensagem alarmante de Jiyoung, pensei imediatamente na minha ex-aluna de escola Mindy, de muitos anos atrás, no Maine. Liguei para ela na mesma hora, pelo Facebook, quando vi que ela estava *on-line*. Ela atendeu. A expressão vaga e o rosto murcho dela eram de preocupar e partir o coração.

Ela viu o furdunço ao meu redor e perguntou onde eu estava.

"Aeroporto Internacional de Haneda, em Tóquio."

"É brincadeira? Estou na Coreia do Sul. A duas horas de avião."

"Achei que estivesse na faculdade." Ela estava matriculada numa faculdade da Ivy League, nos EUA.

"Peguei permissão para ficar fora neste semestre", diz ela. "Queria ficar com a minha família." Jiyoung, por fim, conta-me que concluíra, pouco depois do nosso último diálogo filosófico via Skype, que estava profundamente apaixonada – e que o namorado terminou com ela alguns dias depois. Ela disse que andava conversando regularmente com um terapeuta, mas que, mesmo assim, estava com dificuldade de superar o rompimento.

Eu partilhei sinceramente com Jiyoung as minhas dores de quando tinha mais ou menos a idade dela e passei por um rompimento terrível que me deixou, por um tempo, tão para baixo que eu me sentia como se estivesse preso em areia movediça mental e emocional. O que mais enfatizei para ela, acima de tudo, foi que a pessoa que me dispensou me fez um favor, por mais que soasse como um clichê; depois disso, eu acabei conhecendo o amor da minha vida, a Ceci, e me casei com a minha parceira ideal.

"É como uma morte", ela me disse. "Estou de luto. Sinto uma dor profunda. Sinto como se não soubesse quem eu sou, como se tivesse perdido a identidade. Tem uma palavra em coreano: *han*. Significa tristeza e dor e perda, mas com um toque de esperança. Não sinto esperança. Como faço pra seguir em frente?"

Disse-lhe que, a longo prazo, o que me ajudou, mais do que tudo, a atravessar a perda decorrente do rompimento, nessa idade, foi encontrar algo para fazer que tivesse tanto significado para mim que, mesmo nos momentos mais difíceis desde então, o projeto em si me desse não somente consolo, mas os recursos para seguir em frente. E continuei dizendo que isso me veio depois que eu li *Cartas a um jovem poeta*, uma coleção de dez cartas que o poeta filosófico austríaco Rainer Maria Rilke enviou ao jovem cadete Franz Xaver Kappus. Em 1929, três anos depois de Rilke morrer, aos 51 anos, de leucemia, Kappus as publicou. Abri uma das cartas na internet, que achei especialmente marcante e que parecia quase falar diretamente comigo. E partilhei com Jiyoung:

> Tenha paciência com tudo que permanece sem resolução no seu coração. Tente amar as perguntas em si, como quartos trancados e como livros escritos num idioma estrangeiro. Não procure as respostas agora. Elas não lhe podem ser dadas agora porque você não poderia vivê-las. É uma questão de experienciar tudo. No momento, você precisa viver a pergunta. Talvez, aos poucos, sem nem

> reparar, você se verá experienciando a resposta num dia distante.

"Uma tranquilidade me veio depois que deparei com isso", eu disse a Jiyoung.

"No primeiro encontro sobre Sócrates que eu conduzi, sobre a questão 'O que são começos?', eu soube, naquele momento, que esse era o meu jeito de viver a pergunta, amar as perguntas em si, abrir quartos trancados e pôr luz sobre eles, e que a cada vez que eu faço um encontro desses, estou 'experienciando a pergunta.'"

Ela me pediu que lesse a passagem de Rilke para ela mais uma vez.

Depois, contei-lhe que tinha lido, havia pouco tempo, um conjunto de cartas de Rilke publicadas, pouco antes, num livro – *The Dark Interval: Letters on Loss, Grief and Transformation* (*O intervalo obscuro: Cartas sobre perda, dor e transformação*, em tradução livre) – que deu um pouco de consolo na minha dor perene acerca da perda do meu pai. Li uma passagem de uma carta que Rilke escrevera a alguém íntimo:

> Cada vez que abordamos alguma coisa com alegria, cada vez que abrimos os olhos para uma distância ainda intocada, nós transformamos não somente este e o momento seguinte, mas também rearranjamos e gradualmente assimilamos o passado dentro de nós. Nós dissolvemos o corpo de dor estrangeiro do qual não sabemos sua consistência e conteúdo nem quantos (talvez) estímulos de afirmação da vida ele transmitirá, uma vez dissolvido, para o nosso sangue!

Eu disse a Jiyoung: "Rilke não está nos dizendo que 'passemos' pelas nossas mágoas, mas para darmos novo sentido, hoje, ao passado irrecuperável com atos de amor e criatividade".

Vi novamente uma luz nos olhos dela.

"Podemos só ficar sentados aqui, de frente um pro outro?"

"Claro que sim."

Em algum momento, peguei no sono. Quando acordei, horas depois, Jiyoung não estava mais *on-line*. Uma mensagem dela me aguardava. "Obrigada, Dr. Phillips! Acabei saindo para caminhar bem cedinho. Pensei tanto nessas últimas horas sobre o que partilhamos. O que você disse sobre não ficar vivendo num passado irrecuperável era o que eu precisava ouvir. (É um material lindo para um livro que precisa ser escrito para adolescentes perdidos como eu, a propósito.)"

Em seguida, ela escreveu: "Hoje é um novo dia. Vou fazer um encontro sobre Sócrates e explorar uma nova pegada na pergunta que você fez na sua primeira reunião. Em vez de perguntar 'O que são começos?', vou perguntar: 'O que são novos começos?'".

Hora de revidar

Eu estava em Nova York – onde a minha esposa e eu moramos em algumas épocas por anos antes e logo depois de começarmos uma família; onde a minha filha mais velha nasceu de parto normal, em 2006 – exatamente dez anos depois do dia em que eu e Ceci nos conhecemos –, no centro de parto natural do Hospital Roosevelt (chegamos lá bem na hora, visto que eu fiz o favor de me trancar no escritório do nosso apartamento, como num episódio de *I love Lucy*; e dois meses depois, nos "aninhamos" em San Cristobal de Las Casas, no México, na nossa primeira casa própria); onde eu fiz um encontro sobre Sócrates perto de onde morávamos, no Greenwich Village, em Washington Square Park (certa vez, o brilhante, porém atormentado ator Philip Seymour Hoffman, que morreu em 2013 de *overdose*, enquanto passeava com o filho no carrinho, congelou ao deparar conosco, e participou) – incluindo um com tochas estilo *tiki*, cerveja e cachorro-quente bem quentinho durante o blecaute de 2003; e no Café da Constituição (na época, minha iniciativa mais recente) no movimento de ocupação Acampamento Zucotti (Margot Adler, da National Public Radio, que morreu de câncer do endométrio apenas três anos depois, fez um especial sobre isso, e lançou livro de mesmo nome, em sequência ao especial sobre o Sócrates Café, em 2005, quando nos tornamos amigos – a ponto de ela ter feito um canto pagão inesquecível no chá de bebê da filha que esperávamos, Cali); e de onde eu costumava pegar o ônibus DeCamp até Montclair, Nova Jersey, para continuar a participar do primeiro Sócrates Café que eu comecei, em 1996, e onde ele continua a acontecer, desde então, em geral nas noites de terça.

Desde que nos mudamos para o México e depois para a Austrália (e depois, nômades que somos, diversos outros lugares), eu fui a Nova York com menos frequência. Eu planejara visitar o Memorial de 11 de Setembro logo depois da inauguração, enquanto eu estava lá para apresentar o *Constitution Café: Jefferson's Brew for a True Revolution* (Café Constituição: A preparação de Jefferson para uma verdadeira revolução), na vangloriosa loja da Strand Book. A morte trágica do meu pai – em 17 de setembro desse mesmo ano, no dia da Constituição – forçou-me a cancelar esses planos (e o restante da turnê do livro).

Eu retornei ao local alguns meses depois do funeral do meu pai para visitar o memorial. Eu tinha dito ao meu pai que faria isso, e obviamente significava muito para ele que eu fizesse uma oração em homenagem ao meu primo John A. Katsimatides, na sua inscrição de bronze, sendo ele de raiz nissíria, como a minha, tendo sido criado principalmente em Astoria. John estava trabalhando no dia 11 de setembro de 2001 em seu escritório na Cantor Fitzgerald, empresa de consultoria de investimentos, no 104º andar da Torre Norte. Ele é um dos quase três mil mortos no World Trade Center, no Pentágono e perto de Shanksville, Pensilvânia. Ele tinha 31 anos.

Eu não conheci John pessoalmente, mas todos diziam que era um rapaz bem-humorado, generoso e motivado ao sucesso. Conheci a irmã dele, Anthoula, na época em que fiz uma apresentação na Sociedade Nissíria de Nova York, e ela me entrevistou para um programa de rádio grego sobre o meu Sócrates Café. Minha prima multitalentosa é uma atriz de sucesso que atua nos palcos, na TV e no cinema, além de ser produtora (seu mais novo documentário trata da atriz grega Olympia Dukakis, ganhadora do Oscar). Quando John foi morto, ela já sofria com a perda do irmão mais novo, Mike, uma alma efervescente, embora sensível, que tinha se entregado às dores do mundo e cometera suicídio dois anos antes. Depois do ataque terrorista, Anthoula tornou-se diretora de relações familiares na Empresa de Desenvolvimento da Baixa Manhattan. Ela entrou com toda porção de energia e paixão para atuar na reconstrução e na cura. Além de aceitar participar da diretoria do Memorial e Museu do 11 de Setembro, Anthoula fundou uma organização sem fins lucrativos em memória dos irmãos – a Fundação para a Vida JAM (JAM é abreviação de Johnny e Mikey), que "busca promover educação musical, pesquisa de câncer, ajuda para jovens em vulnerabilidade, prevenção do suicídio e defesa dos direitos de vítimas de crimes com doações em dinheiro... para entidades de caridade que representem o espírito, o caráter e a vida de John e Mike... e promover o bem-estar da comunidade, perpetuando o legado de John e Mike e honrado a vida de dois indivíduos especiais" – essa foi a inspiração que me instigou a começar o meu projeto para honrar o legado do meu pai, o prêmio anual Alexander Phillips Arete.

Era 20 de março, aniversário do meu falecido pai.

Nessa visita, como em todas as anteriores, eu procurei o nome do meu primo John no parapeito de bronze. Após horas de reflexão e lembrança, peguei o ônibus DeCamp para Montclair, onde presidiria o Sócrates Café. Eu não ia lá fazia anos. Muitos dos que fizeram parte do nosso grupo inicial quase 25 anos antes tinham seguido em frente (muitos estavam estabelecendo Cafés sobre Sócrates em suas localidades), ou tinham falecido. Mas ainda havia muitos que eu conhecia de todos esses anos; e foi incrível encontrar as almas gentis que tinham descoberto recentemente as alegrias do questionamento filosófico pelo método Socrático e encontraram nele um valioso antídoto para entregar à sua natureza questionadora insaciável uma dose semanal. Ainda era como um retorno especial para casa, para mim, mesmo depois de todo esse tempo.

Era tarde da noite, no jantar de 24 horas em que nos reunimos – exploramos "Quais são os melhores tipos de finais e começos?" – quando todos foram se desbandando. Além de mim, ficou o Frank, que ficava tão intensamente imerso em cada palavra emitida e tão intensamente calado nos encontros, como meu pai ficava, caracteristicamente, toda vez que participava. Frank e eu tínhamos começado uma amizade única depois que eu comecei um Sócrates Café na prisão de segurança máxima na qual ele cumpria uma sentença de quinze anos por roubo à mão armada.

Uma assistente social psiquiátrica que participava havia muito tempo do Sócrates Café de Montclair tinha feito esse contato. Ela estava convencida de que era disso que os presos precisavam e testemunhou em primeira mão os encontros recorrentes – ela e outros funcionários tomaram o controle do encontro depois da minha visita inicial – e como aquilo estava melhorando, nos presos, os pontos de vista, a postura, a abertura para pensar mais completamente sobre as coisas segundo muitas perspectivas – e como isso, por sua vez, levava a mudanças evidentes no caráter e no espírito deles.

Cerca de um mês após a minha visita, eu recebi uma carta. O endereço do remetente mostrava o número de um preso, mas não tinha nome. Era do Frank. Ele partilhou que o Sócrates Café estava fazendo a diferença. "Ajudou-me a enxergar com mais clareza", ele escreveu. "Dá uma ideia dos pensamentos das outras pessoas. Eu olho as coisas de um jeito e descubro que o cara sentado ao meu lado, que eu achava que conhecia bem, tem um jeito muito diferente de pensar na questão. Após considerar qual é a história dele, e por que ela aconteceu de tal maneira, do lugar de onde ele veio, às vezes isso muda todo o meu ponto de vista. Eu vejo a questão, e o mundo, sob outra luz". Frank partilhou comigo que pegou emprestada a cópia do *Socrates Café* (Sócrates Café) que eu assinei e tinha dado a outro preso que fora posto na solitária após uma briga. "Ele leu do começo ao fim. Disse que mudou todo o jeito dele de ver as coisas, também." Eu enquadrei essa carta.

Em correspondências que seguiram, numa delas, após o aniversário da tragédia do 11 de setembro, nesse ano, Frank escreveu: "Lembro-me de ver, de uma janela, na prisão, a fumaça subindo da direção do World Trade Center, em 11/9. Quando fiquei sabendo o que tinha acontecido, senti raiva e incapacidade. Li sobre todos aqueles heróis, e lá estava eu, na prisão. Por causa da burrice que cometi anos antes, eu não podia participar e servir".

Frank completou os dez anos obrigatórios da sentença de quinze anos, e o restante foi reduzido por causa do comportamento exemplar dele. Ele saiu da prisão graduado em inglês e administração de empresas. A meta era tornar-se primeiro socorrista. Informaram-lhe de que ele teria de esperar ainda muitos anos mais, por causa da sentença. "Eu entendo totalmente", ele escreveu. "Estou acostumado a esperar. Não vou desistir desse objetivo. Mesmo quando conseguir, eu nunca poderei pagar à sociedade pela minha dívida. Deve haver outro jeito de servir, nesse meio-tempo."

Frank entrou para o exército. Depois de passar por toda uma série de entrevistas, provas e testes psicológicos, ele obteve permissão para alistar-se num programa inicial de quatro anos. Frank esperava ser enviado ao Iraque ou ao Afeganistão. Mas depois que os superiores revisaram uma redação que tinha sido parte de uma das provas, eles resolveram colocar as habilidades excepcionais de escrita dele para melhor uso, alocando-o num departamento de comunicação, para escrever relatórios, cartas e coisas do gênero para superiores. Frank permaneceu no país durante todos os quatro anos de seu alistamento. "Era muito bom poder servir, começar a pagar a minha dívida do jeito que eles achavam melhor", ele escreveu.

Na época dessa minha última visita a Nova York e Nova Jersey, Frank já era um primeiro socorrista experiente. Ele tinha morado com a segunda filha. "Ela é toda perdão", ele escreveu, certa vez. "Recebeu-me de braços abertos quando fui libertado da prisão." Ele contou que os outros filhos tinham ficado chateados, inicialmente, com a irmã, por tê-lo aceitado, mas com o tempo acabaram se reconciliando. Contou-me também que não estava mais morando com a filha, que tinha se casado e estava grávida, mas que morava num belo apartamento próximo. Estava para lá de empolgado por tornar-se avô. Frank nunca mais começou um relacionamento sério. Dizia que queria devotar todo o seu tempo e energia aos filhos, quando precisassem dele (o que ocorreu, com o tempo, com todos eles), e aos netos.

"A prisão em que eu estive era chamada inicialmente de reformatório, e, no meu caso, foi mesmo", disse ele. "Eu saí um homem reformado. Não fugi do meu passado. Peguei esse passado, assumi e fiz jus a ele. Eu não seria quem sou hoje sem ele. É clichê, mas é verdade. Como eu disse, nunca vou pagar totalmente a dívida que tenho com a sociedade. Sempre terei arrependimentos, dos que duram muito, mas eu não seria quem sou agora se não tivesse sido aquele outro de então."

Eu contei ao Frank da minha visita ao Memorial do 11 de Setembro, que era aniversário do meu pai falecido, e pela primeira vez sobre a morte do meu pai e as minhas jornadas para aprender mais sobre almas de bondade, e como redescobrir alegria, amor, superação e afins nessa minha angústia ainda tão profunda.

Frank ficou em silêncio por um bom tempo. "Eu receio pelo mundo, para nossos filhos e netos. Tanto ódio e raiva. Tantos, incluindo da sua e da minha geração, não enxergam um palmo à frente do nariz. São pessoas que acham que merecem tudo. E farão qualquer coisa – qualquer coisa – se for para ganhar um dólar que seja. Você sabe que eu bem sei do que estou falando."

Ele olha na direção de onde um dia esteve o World Trade Center. "Até hoje, muitos veem aqueles terroristas como heróis e mártires. Fazem celebrações para homenageá-los. Eles causaram um mar de sofrimento que, para muitos milhares, nunca acabará. Mas eu causei um mar de sofrimento também. Passarei o resto da vida tentando compensar isso com boas ações."

"Tudo se resume a tomar a decisão, todos os dias, de seguir o bom caminho. O Sócrates Café de hoje foi sobre 'Quais são as melhores oportunidades?'. Para mim, são aquelas que me dão uma nova chance de dar um passo na direção de 'fazer a coisa certa' – e com isso quero dizer..."

Do nada ele me pegou de surpresa: "Chris, não sei se você não consegue perdoar, mas não pode ser consumido por *haters* e traidores, principalmente aqueles de quem você já foi próximo. Eu vejo a dor e a angústia; está tudo na sua cara. Você não merece isso. Seus entes queridos não merecem. Pelo que você me contou do seu pai, tenho certeza de que ele concordaria comigo. Não deixe que pessoas como essas 'vençam'. Essa pessoa ainda está cheia de ódio de si mesma. Dinheiro nenhum pode preencher esse buraco vazio no interior. Eu tenho gratidão por ter podido aprender a minha lição, de assumir a responsabilidade. Mas alguns não fazem isso, ou nem conseguem. Conheci muitos desses na prisão".

Lembrei-me do que Cornel West me dissera na nossa visita mais recente. Como eu tinha isso transcrito, partilhei com o Frank:

> Nunca pare de amar essa pessoa de quem você está me contando, meu irmão. Existem aqueles que, espiritualmente, não recebem o tipo de amor que deveriam dentro da própria família, da comunidade, da sociedade como um todo. Nunca esqueça a definição de amor de Dostoiévski em *Os irmãos Karamazov*: o inferno é sofrer pela incapacidade de amar. Essas pessoas pensam em si mesmas como se não valessem nada, como se não merecessem amor.

Isso trouxe um sorriso pensativo ao rosto do Frank.

"Eu não poderia ter dito melhor. E seriam as palavras de seu pai para você, se ele aqui estivesse."

Não perdoar

Pensei bastante sobre perdão e pagar a sua dívida para a sociedade desde o meu encontro, na minha pedra filosofal, com a criança índiga no Maine – ouvir da capacidade incrível da mãe dela de perdoar, e como, com o tempo, isso levou também o pai a fazer o mesmo – e agora com o Frank.

Além disso, eu me perguntava: o que Sócrates faria?

Sócrates conseguiu o feito de encarar uma morte ignominiosa – e fez isso sem ressentimento. Mas ele não era todo perdão. Para Sócrates, o perdão para aqueles que tinham cometido o pecado cardeal contra ele – orquestraram a morte de um homem inocente – fugia do ponto. Como ele afirma ao júri, em *Apologia*, acerca de seus pares que o condenaram por um crime capital no intuito de dar mérito à execução dele:

> Vocês podem ter certeza de que, se matarem o tipo de homem que eu sou, não farão mais mal a mim do que a si mesmos. Nem Meleto nem Ânito [os principais acusadores de corromper jovens e de impiedade] podem me fazer mal de modo algum... pois eu acredito que não é permitido que um homem melhor seja prejudicado por um pior... Acho que ele faz a si mesmo mal muito maior ao fazer o que está fazendo agora, tentando mandar executar um homem injustamente.

A teoria dele é uma radical de não perdoar. Não é preciso perdoar – muito menos punir, em retribuição – se você subscreve ao ponto de vista de Sócrates de que nenhum mal lhe foi feito, que seus transgressores estão, na verdade, fazendo mais mal a si mesmos, mesmo que eles ponham um fim prematuro na sua vida, nesse processo. Para Sócrates, o que era primordial na vida era a saúde da alma. Em parte, você manifesta essa saúde ao nunca se baixar ao nível daqueles que fariam mal a você, e até *realmente* lhe fazem mal.

A outra coisa que me impressionava, além de sua filosofia revolucionária de não perdoar, é que Sócrates não punha julgamento nem desdém sobre seus transgressores. Sócrates nunca criticou nem atacou verbalmente Ânito ou Meleto, não os caracterizou como perversos ou maus. Como alguém que se conhecia minuciosamente, muito antes ele já havia entendido a verdade de que há uma separação muito pequena – se é que há – entre quem é considerado mal e quem é bom. Uma circunstância aqui, outra lá, e ele poderia muito bem ter sido como eles. A alma dele era muito saudável e reluzia de bondade.

A renovada parábola do servo impiedoso no Evangelho de Mateus, no Novo Testamento, começa com Pedro perguntando: "'Senhor, quantas vezes meu irmão pecará contra mim, e eu o perdoo? Até sete vezes?' Jesus respondeu: 'Não te digo sete vezes, mas setenta vezes sete'".

Em *Condição humana*, Hannah Arendt afirma que: "O descobridor do papel do perdão na esfera das questões humanas foi Jesus de Nazaré", para ela, o modelo do poder do perdão. "O fato de ele ter feito essa descoberta num contexto religioso e a articulado em linguajar religioso não é motivo para levá-la menos a sério num sentido estritamente secular."

Sócrates, sem dúvida, concordava com essa afirmação de Arendt, e teria também abraçado de todo o coração a passagem de João 8:7, do Novo Testamento: "Aquele que de entre vós está sem pecado seja o primeiro que atire pedra contra ela".

Por esse *ethos*, portanto, se você foi traído, deveria se perguntar: eu também traí? Se você responder: "Sim, mas é diferente, no meu caso". Então se pergunte: diferente como? Não foi traição, mesmo assim? Alguém foi ferido por isso? E se mentiram para você, prejudicando-o? Talvez você devesse se perguntar: eu menti? Se você responder: "Bem, sim, mas não fez quase nada de mal". Mas isso fez mal a alguém? Poderia ter feito? Isso beneficiou você de um jeito que não deveria?

Talvez eu não morra com orgulho, não mais que o meu pai. Mais motivo ainda para agir de certas formas, enquanto ainda estou vivo, por mais ou menos tempo que eu ainda tenha, que sei que fariam o meu pai se orgulhar. O que seria isso? Fazer o que muitos não podem, incluindo ele. Ele esperaria que eu pudesse perdoar sem perdão ou tolerância.

Um desses jeitos talvez seja perdoar o imperdoável.

Café sobre Vida e Morte

Eu estava sentado num círculo apertado com umas doze pessoas, se acertei na conta rápida. Apertado, mas nem tanto. Eu gostaria de poder dizer que esses que estavam ali comigo vieram por convite meu. A bem da verdade, eles fizeram isso mais por conta própria do que por mim. Pelo menos mais dois ou três ainda podiam entrar, se os que já estavam topassem abrir espaço. Alguns dos presentes, era impossível reconhecer. Outros faziam tudo que podiam para permanecer incógnitos. Alguns, como eu, escapariam de ser reconhecidos por mais que tentássemos ficar debaixo do holofote.

A sala em que estávamos não era diferente do mundo construído por Gabriel García Márquez em *Cem anos de solidão*, com salas contíguas conectadas por portas em que uma abria "para outra que era a mesma coisa, cuja porta abria para outra que era a mesma coisa, e para outra exatamente igual, e assim por diante, até o infinito". Todas as salas eram idênticas, exceto "a sala da realidade", a sala para a qual você tinha de dar um jeito de achar o caminho de volta, do contrário ficaria "ali para sempre", preso numa "galeria de espelhos paralelos", um destino que é meio como a morte, ou pior que a morte, porque você perde todo o contato com a realidade, com você mesmo, com os outros.

Noções tradicionais de tempo e espaço não eram de todo apagadas no nosso encontro, mas tinham assumido *status* secundário, no mínimo. O que eu podia afirmar com certeza era que ninguém ali era mera invenção da minha nem da imaginação de ninguém. Assim como eu podia dizer, sem a menor sombra de dúvida, que todos nós éramos assombrados.

"Como você deveria morrer?" era a questão que pairava sobre nós. Ninguém específico a propusera. Não, todos propuseram. Era o nosso motivo para estar ali.

O primeiro que falou foi o que eu menos esperava. Mas talvez eu devesse ter desconfiado; era alguém sempre cheio de si. Era Argentina Apollo. O nome verdadeiro era Vincent Denigris, mas ele escolhera como nome de profissão o do deus olímpico do arco e flecha, da música, poesia, arte, oráculos e... praga. Meu pai e eu fomos muitas vezes, na minha infância e juventude, ver em ação essa incomparável estrela acrobata da Federação Mundial de Luta Livre. Apollo sempre parava para dar autógrafo no nosso *folder* e falar conosco após as lutas (quase sempre grandes vitórias).

Meu pai, fanático por luta livre, estava para lá de empolgado ao ver Argentina Apollo, que lhe disse para chamá-lo apenas de Apollo. Meu pai puxou uma cadeira ao lado do ex-lutador e desatou num monólogo animado. Ele instruía Apollo de que um dos lugares favoritos de Sócrates para seus diálogos era a *palaestra*, um ginásio usado, principalmente, para o esporte mais antigo, a luta livre. Meu pai informa a Apollo que Sócrates ficava encantado com como a luta requisitava tanto músculos quanto cérebro, demandando colaboração e competição feroz entre os oponentes. Ele seguiu dizendo que, em *Eutífron*, de Platão, os colegas de Sócrates o cutucam por passar tempo no ginásio, onde se diz que o próprio Platão ficou apaixonado pelo esporte a ponto de sair-se muito bem nele. Apollo escutava com polidez, embora seu comportamento sugerisse que ele não estava ouvindo nada que ainda não soubesse. Pigarreei para trazê-los de volta para o nosso diálogo. E lembrei-lhes de qual era a questão.

"Eu morro de ataque do coração aos 46", disse o nosso ídolo de outrora, após uma pausa. "Pelo menos alcancei meus sonhos na profissão. Mas com 46? Não, eu definitivamente não deveria ter morrido nessa época, como morro, quando morro. Nada de que eu sabia indicava que eu era candidato a um ataque do coração. Eu me sentia ótimo. Ótimo! Ainda sinto raiva e ressentimento por morrer tão jovem. Estava aprendendo a tocar trompete, estava formando uma banda de mariachi, Os Apolos. E então acaba o jogo da vida."

"Meu pai morreu aos 57", disse Maria, a reticente e enigmática irmã do meu pai, de quem eu não era muito próximo, mas que ainda assim me agradava estar ali. Ela morreu aos 66 de um AVC. Meu pai descobriu o corpo da irmã mais nova, da mesma forma que o do irmão mais velho, que também morreu de AVC, no ano anterior.

"Um minuto, Alec", ela chama o meu pai de Alec, "eu estava brincando com o nosso pai Philip", disse Maria, "e, em seguida, ele desabou como uma boneca de pano. Ele *deveria* ter morrido nesse dia, desse jeito? Ele nunca tinha feito um exame na vida. Não tinha tempo nem dinheiro para extravagâncias".

"Aos 57 anos de idade", disse o meu pai. E sacudiu a cabeça. "Bem quando estava prestes a viver o sonho de atuar no palco."

E então completou: "Eu sempre disse que, se vivesse mais do que 57 anos, todo o tempo reservado para mim depois disso seria um presente".

Alexander Phillips foi "presenteado" com mais 21 anos. Ele olhou para mim. "Eu deveria ter mais anos? Deveria morrer quando morri, como morri? Essa é uma pergunta aberta. Mas o que está feito está feito."

"Está mesmo?", eu disse. "Então por que a paz não desce sobre mim?"

Meu pai viu a angústia no meu rosto. Viu que eu não me perdoaria por não estar lá para ele. Ele pareceu querer se aproximar e me abraçar, fazer tudo ficar bem.

Somente então eu notei que havia mais alguém ali conosco – uma malevolência, vazia, sem nome. Nenhum de nós tenta afugentar essa ausência ameaçadora. Deixamos estar.

"Pai", eu disse. Ele estava numa conversa interior. Os lábios se moviam como numa animação conforme ele dizia algo, não muito agradável, como tudo indicava, sussurrando bem baixinho, e meteu um dos dedos no ar.

"Pai."

Ele voltou para o que se suporia normalmente ser a terra dos vivos. "Eu não deveria morrer como morri", disse ele finalmente, olhando para cada um de nós, "mas morri".

Depois ele considerou e reconsiderou. "Talvez eu tenha, sim, morrido como deveria. Algumas coisas que eu disse, fiz, como pai, marido..."

William Faulkner interviu, mais ou menos. "'Lembro que, quando era jovem, eu achava que a morte era um fenômeno do corpo; agora sei que é meramente uma função da mente.' Dr. Peabody. *As I Lay Dying* (Enquanto agonizo). 'Os niilistas dizem que é o fim; os fundamentalistas, o começo; quando, na verdade, não passa de um só inquilino ou família se mudando de uma residência ou uma cidade.'"

"Como isso se relaciona à nossa questão, 'Como eu deveria morrer?'", pergunto, em deferência, admirado por alguém da estatura dele se interessar em participar.

"Se é uma função da mente, então pode ser o fim e o começo", disse meu pai, antes que Faulkner pudesse entrar ali com uma palavra. Acho que ele estava compensando por todos os meus diálogos dos quais ele participou sem jamais dizer uma palavra. "Ou nenhum. Ou os dois. Se você é niilista, é o fim, se é fundamentalista, é o começo. Se for um inquilino ou uma família, é como a minha família na infância, se mudando de uma residência, abrindo espaço ali, mas se mudando, presumivelmente, para outra, tomando espaço ali."

"Se for assim, então 'deveria' não ter nada a ver?", perguntei.

Eu esperava que o meu pai respondesse a minha pergunta com uma afirmativa.

Em vez disso, ele voltou o olhar para Sócrates, que estava sentado em silêncio encantado. Pareceu-me um pouco atrevido, mas meu pai colocou-se a citar o filósofo na *Apologia* de Platão: "O que um homem não daria para conversar com Orfeu e Museu e Hesíodo e Homero? Ah, se for verdade, que eu morra de novo e de novo!".

Sócrates pareceu não ligar nem um pouco que o meu pai estava tão cheio de si. Ele olhou ao redor de sobrancelhas erguidas, como se impressionado, de um jeito que parecia indicar: "Bem, talvez Orfeu e Museu e Hesíodo e Homero não estejam aqui, mas esta companhia está muito boa". Os olhos dele pousam especialmente em Argentina Apollo, que não repara que é a maçã do olhar do sábio.

Um longo silêncio desenrolou-se.

"Não há 'deveria'", disse meu pai. "Deveria haver, mas não há. Não no mundo de hoje." E deixou por isso mesmo.

A irmã Maria, minha tia Maria, disse-lhe: "Lembra uma vez que entramos num trem? Eu tinha cinco, e você, seis. Achamos que era como um brinquedo de parque de diversões. Foi tão divertido, ficamos sentados no vagão, com as pernas balançando na beirada enquanto o trem tilintava sobre os trilhos. Mas então começou a sair da cidade! Perdemos a noção do tempo, tamanha a diversão que tivemos, fingindo que estávamos numa grande aventura, inventando histórias sobre aonde estávamos indo. Estávamos num mundo todo nosso.

"Saltamos bem a tempo, foi preciso andar muitos quilômetros para voltar à nossa casa. O trem seguia para Nova Orleans."

"Isso que era vida", disse a tia Maria, em seguida. "Alec e eu fizemos algo que não era para fazermos, mas isso não fez mal nenhum a ninguém. Algo de que nos safamos, felizmente, e não nos machucamos. Uma coisa fora do comum. Eu escrevi uma história sobre isso, num trabalho de escola. O professor achou que eu estava inventando. Deu-me um A+ por uso excelente da imaginação."

"Mas isso também responde a 'como deveríamos morrer'", ela me disse em seguida. "Essa experiência da infância, não sei como explicar, mas foi como 'Se eu morrer amanhã, tudo bem, porque eu fiz algo ousado e empolgante e fora do comum'. Sei que não foi nada de mudar o mundo, mas mudou o meu mundo. Bom, eu acho que isso responde a 'Como *não* deveríamos morrer?'. Minha resposta é que não deveríamos morrer antes de viver pelo menos uma grande aventura. Essa única experiência da infância me fez um pouco mais ousada e corajosa para o resto da vida. Mesmo nos meus dias mais chatos e tediosos, tudo que eu tinha de fazer era conjurar essa lembrança, e ela me dava o empurrão de que eu precisava."

Eu esperava que o meu pai risse com a lembrança partilhada – algo que ele nunca me contou –, quem sabe seguisse com um comentário dele. Ele estava tão perdido em pensamentos que eu não tenho certeza nem se ele estava ouvindo.

Sócrates estava velho, meu pai estava velho, qualquer que fosse a idade em que morreram. Eles deveriam sentir menos raiva pelo jeito com que suas vidas terminaram?

Sócrates, por sua vez, o epítome do não ressentimento, não obstante, não pôde deixar de apontar que, "em outro mundo, não condenam um homem à morte por fazer perguntas: certamente, não". O que vale por dizer: não se deve condenar ninguém por fazer perguntas.

Mas foi o que foi, e, na *Apologia*, ele se despede sem arrependimento: "A hora de partir chegou, e seguimos nossos caminhos separados, eu morro, vocês vivem. Qual desses dois é melhor, só Deus sabe".

Os demais presentes, todos que tocaram a minha vida indelevelmente, como partilhei ao longo deste livro, preferiram não falar nesse momento. E havia muito tempo eu aprendera a não pressionar ninguém.

Passamos ao redor uma garrafa de uzo, potente bebida alcoólica grega que tem gosto de alcaçuz. A última vez em que fiz algo do gênero foi no túmulo de William Faulkner, que visitei com os escritores Willie Morris, Barry Gifford e meu querido amigo Alex Haley, escritor ganhador do prêmio Pulitzer, autor de *Roots* (*Raízes*), que me ajudou a começar como escritor e morreu de um ataque cardíaco fulminante em 1992, cujas propriedades, desse amado ser humano, estavam em tamanha desordem e atrasos que a maioria dos bens foi vendida em leilão.

Eu não fazia ideia do passar do tempo. Finalmente, meu pai disse: "Filho, sinto muito, muito mesmo, que não conseguimos nos despedir. Mas você sabe quanto eu te amo, quanto me orgulho de você".

"Continue fazendo por valer", ele disse em seguida. "Continue fazendo tudo que puder para fazer do mundo um lugar em que mais possam morrer com dignidade."

Não consegui entender totalmente o que meu pai disse em seguida – algo no sentido de que eu não deveria sofrer por estar começando a esquecê-lo. Porém um anúncio no alto-falante o interrompeu rudemente. Informava que nosso voo, que partia de Nova York, pousaria em Tampa, Flórida.

Ao sair, por ora, da nossa sala de irrealidade, para fazer uma última visita antes de retornar para casa, recebi uma mensagem de texto de Frank. "Nova York está em *lockdown* total. Acabei de receber uma mensagem de alerta, chamando paramédicos. Hora de pagar a dívida."

Lembrança de coisas futuramente lembradas

Perto do final dos *Cem anos de solidão*, de Gabriel García Marquez, descobrem-se os "Manuscritos de Melquiades". No manuscrito feito em pergaminho, está registrada a história da família Buendía, "cem anos à frente do tempo". O cigano sábio, amigo do patriarca José Arcadio Buendía, que os compôs, "não pusera os eventos na ordem do tempo convencional do homem, mas concentrara um século de episódios diários de tal maneira que coexistissem num instante". Ilusão, memória, profecia, o que se passa por realidade, tudo entrelaçado como se não houvesse emenda que os eventos recontados são tão ou mais acreditáveis – mais "naturais" – do que se fossem contados cronologicamente.

Muito alvoroço se faz acerca de lembrar o passado para imaginar o futuro. Mas Jorge Luis Borges e Gabriel García Márquez se juntariam a mim ao perguntar: e quanto a lembrar do futuro para imaginar o passado? Os esforços para lembrar, de modo passado e episódico, até mesmo os nossos mais queridos entes que não estão mais conosco estão fadados a falhar até certo ponto, por mais que tentemos rebocar a casa e o coração com lembranças vívidas. Mas se lembramos deles no nosso futuro, o passado ganha vida, não como *fait acompli*, mas reimaginado e refeito.

O que fazemos – nossas palavras e ações, nossos trabalhos – amanhã e amanhã e amanhã dá novo sentido a tudo que veio antes. Os psicólogos têm um termo, *chronosthesia*, para denotar "viagem no tempo mental"; trata-se tanto do futuro quanto do passado. A mente humana, como cientistas cognitivos e neurocientistas descobriram, pode projetar-se a pontos futuros do tempo tão hábil e facilmente quanto ao passado.

No mínimo, o futuro imaginado está a par do passado imaginado. No mínimo, tudo é imaginado, até mesmo o presente, até certo ponto. Não é que tudo é relativo, mas que tudo é relacional, e imaginado até certo ponto – isso pode ser para o bem ou para o mal. Hitler imaginou campos de concentração e os tornou reais; outros se juntaram a ele para construir no presente. A ênfase recai, tradicionalmente, em prever o futuro reformulando ou reexperienciando o passado – mas pode cortar para dois ou diversos lados, e não se pode apenas reformular, mas prever o passado experienciando o futuro, de maneira que direcione o nosso presente.

Basta perguntar a Shakespeare. O estudioso Harold Bloom "mal pode compreender como se começa a ponderar Shakespeare", um viajante temporal mental sem páreo:

> sem arranjar um jeito de dar conta da presença difusa nos mais improváveis contextos: aqui, ali e em todo lugar ao mesmo tempo. Ele é um sistema de luzes do norte, uma aurora boreal visível aonde a maioria de nós jamais irá. Bibliotecas e teatros (e cinemas) não podem contê-lo; e se tornou um espírito, ou "feitiço de luz", quase vasto demais para apreender.

Quem tem esquizofrenia poderia apreendê-lo. O conceito deles de tempo vai daqueles em que passado, presente e futuro estão desabados ou totalmente imóveis, ou deixam de existir todos juntos. Como Shakespeare observa em *Como gostais*, "O tempo viaja em diversos lugares com diversas pessoas".

Shakespeare não buscava nem precisava julgar ou rotular, mas entender as aberrações mentais – os chamados "lunáticos" – de seu tempo. Ele tinha a mais saudável das almas. Ele não estava dizendo que ninguém sofria de psicose, somente que a pressa em rotular alguém com esta poderia, entre outras coisas (além de levar a "tratamentos" que acabam piorando as coisas para quem tem a condição), impedir-nos de refletir que aqueles considerados normais podem ter seu conjunto de patologias e psicose que escapam da percepção porque eles são a maioria, e são eles que acabam julgando, rotulando e decidindo como julgar e rotular. Não é que todo julgar e rotular sejam ruins – longe disso –, mas muito disso vem de má intenção e gera resultados ruins.

Quando Shakespeare diz, em *Como gostais*, que "todo o mundo é um palco", certamente está falando do mundo mental tanto quanto de qualquer outra dimensão ou construto. Shakespeare e García Márquez sabem que o que entendemos por tempos está no mesmo plano, intercambiáveis e oscilando, nenhum com prioridade nem mesmo precedência.

Até mais

"*Adieu, adieu*, Hamlet", diz o fantasma do pai. "Lembre-se de mim."

Hester Lees-Jeffries, um colega de Cambridge, afirma, em *Shakespeare and Memory* (*Shakespeare e memória*, em tradução livre), que as nossas lembranças dos nossos entes queridos que já morreram "podem, por um tempo, continuar vivendo; podem até

> por um breve momento, reanimar os mortos, mas ossos indiferenciados (e finalmente o pó) são tudo que resta. Por toda a inquietação expressada em vários pontos por Hamlet, Ofélia, Laertes e o Fantasma, nenhuma cerimônia humana pode alterar o fato da mortalidade, ou evitar que os mortos, antes amados, sejam esquecidos.

Isso só vale se pusermos um prêmio na memória episódica. Não é preciso estar morto para ser esquecido. E mais, você pode falhar na precisão relativa a algo que aconteceu um minuto atrás (se é que você não esqueceu, de todo). Pessoas que testemunham um acidente de carro podem oferecer relatos muito diferentes.

No caso de nossos entes mais próximos e queridos que se foram fisicamente, existe algo que não suplanta, mas pode ajudar a conquistar ou superar todas as memórias e relatos perdidos deles e muitos negócios não resolvidos: o amor. Desse amor sem limite, sem fim, nascido de uma perda irreparável, dessa angústia, dessa dor que pode nunca passar – dependendo das circunstâncias da morte ou de outros "fatores" – e que aumenta com o passar do tempo, mesmo conforme lembranças concretas evanescem, enquanto viver você pode agir de maneiras que aprofundem e expandam esse amor. Você pode fazer isso com imaginação moral ou coragem moral e com a noção quase certa de que a maioria de nós não saberá quando seu tempo acabará. Você faz isso por eles, especialmente, mas por muitos outros que vieram e se foram, por outros que ainda estão aqui, e mais ainda por aqueles que ainda virão, por meio de atos de amor.

O que constitui "atos de amor"? Entre outras coisas, são aqueles que podem servir como pontes entre os nossos irmãos humanos, que cultivam nossas sensibilidades mais humanas, para que possamos agir sobre o mundo e nele, e o fazemos com a ideia de que estamos levando em grande consideração outros que podem ser impactados – e de maneiras que não somente não prejudicam, mas potencialmente fazem um pouco de bem.

Nada de grandioso é necessário. Pode ser algo "simples" como parar um pouco para descobrir a história de alguém que você cumprimentou um zilhão de vezes, mas nunca veio a conhecer – talvez um garçom, um colega – ou alguém que talvez você nunca mais terá chance de conhecer – um passageiro ao lado no ônibus ou no avião. Na minha experiência, há poucos presentes melhores do que pedir a alguém que partilhe um pouco da sua história, e ouvir com tudo que você tem, sem julgar nem rotular. Isso pode transformar.

Do berço ao túmulo

O túmulo do meu pai no cemitério Cycadia, em Tarpon Springs, Flórida, fica ao lado da irmã mais nova dele, Maria, e da mãe, minha *Yaya*, que morreu em 1972 aos 77 anos. O túmulo do meu avô Philip fica um pouco mais adiante.

Fiquei ajoelhado por horas em frente à lápide simples de granito do meu pai, que inclui uma placa especial em homenagem ao serviço militar que ele prestou. Tentei afastar da mente o obituário escrito parcamente sobre o meu pai, que nem começou a captar quem ele era, nada mais do que palavras ditas, por alguém, sobre ele no funeral bizarro, se não surreal, sem contar todos os atos vis, desde então, que podem levar ao desespero uma pessoa decente.

Deixe-me contar um pouco sobre o meu pai, já que estou aqui.

Pouco antes de Alexander Phillips entrar no mundo, seus pais e seu irmão mais velho mudaram-se de Charleston, Carolina do Sul, para morar por um tempo num pobre enclave grego na sofrida cidadezinha de Hopewell, Virgínia. Embora não estivessem mais à beira-mar, estavam cercados pelo rio Appomattox. A vida de subsistência da família em Charleston e depois em Hopewell, embora não tão maçante e entorpecente quanto a de Nísiros, não era, não obstante, o motivo pelo qual deixaram amigos e família na Grécia para começar uma vida nova nos EUA. Acabou que, na costeira Charleston e depois em Hopewell, havia muitos imigrantes recentes e pouco emprego decente. Para piorar ainda mais as coisas, sulistas racistas que residiam nessas cidades e nos arredores faziam tudo que podiam para fazer os imigrantes se sentirem indesejados; o Ku Klux Klan liderava o ataque.

Meu pai entrou no mundo em Hopewell, Virgínia, em 1933, e sua irmã, Maria, no ano seguinte. Era o finzinho da Grande Depressão. Os tempos estavam prestes a parecer melhores. Em 1939, a família seguiu para Tampa, Flórida. Philip tinha sido atraído pela promessa de bom emprego. Um parente, um *restaurateur* de sucesso, lhe ofereceu trabalho num restaurante de classe no centro da cidade, que lenta, porém certamente, recuperava negócios e entretenimento. Embora Tampa ficasse no sul, era um lugar muito mais cosmopolita. E o melhor de tudo, tinha uma grande população grega, e todos cuidavam uns dos outros. Mas antes de terem deixado Hopewell, meu pai sofreu um dano permanente. Mexeram cruelmente com ele, no jardim de infância, na escola pública, por causa do forte sotaque grego. O sibilar severo que decorreu desse trauma foi algo que ele nunca superou. Ele o exibia até anos mais tarde, quando sob estresse extremo (enquanto escrevo isso, ocorre-me que não ouvi meu pai falar sibilando por um par de anos, até que falamos ao telefone pouco antes de ele morrer, na última vez que conversamos).

Em Tampa, a família do meu pai instalou-se, deixando para trás os dias de deslocamento. Viviam algo que, em todos os sentidos, era uma vida agradável a seu modo, ainda que entristecida por muitas limitações. Embora residissem num apartamento pequeno num conjunto habitacional, para eles era um lugar aconchegante, metido dentro de uma vizinhança vibrante e unida. Meu avô Philip tinha um talento natural para o trabalho, tanto solícito como garçom quanto encantador, para os clientes, como comediante e cantor. Ele ostentava um smoking branco no restaurante grã-fino. Enquanto isso, *Yaya* criava uma profissão para si; ela foi a primeira a colocar a plaquinha de professora (e prosélita) da linguagem e da cultura grega. Ela era tão amada que apreciava o luxo de uma longa lista de espera de possíveis alunos. Ela dava as aulas numa grande sala de estoque convertido por ela num espaço iluminado com estantes cheias de livros e pôsteres dos grandes artistas, filósofos e poetas gregos. O marido estava encantado por ela ter encontrado uma busca que lhe dava tanta alegria, embora ele mesmo pouco se interessasse sobre a cultura grega. Ele era o mais terroso; ela, a mais cerebral.

Minha avó estava sempre tão contente quanto possível, ainda que seu coração vivesse em outro lugar. Meu tio Jimmy me contou que ela escrevera um poema, "6.051", que ele descobrira dobrado num quadradinho de papel no fundo da caixinha de joias dela. O poema, disse ele, era sobre a ponte de 6.051 milhas que ela construíra entre seu coração, em Tampa, e o coração de alguém que ela deixara em Nísiros.

Considerando tudo, 1942 estava para ser um ano exemplar para a família Phillipou – agora, oficialmente, os Phillips, tendo seu nome sumariamente mudado pelos burocratas de Ellis Island. A Grande Depressão estava ficando no passado, os distritos de negócios e entretenimento de Tampa, em Ybor City, passaram por um renascimento. Luzes brilhantes iluminavam toda a Franklin Street. E mais, finalmente, meu avô e *Yaya*, anos após a tentativa inicial – que fora postergada muitas vezes depois de sua chegada a Ellis Island – tinham se tornado cidadãos reconhecidos dos EUA. Philip considera um sinal auspicioso a aprovação oficial ter ocorrido em 29 de fevereiro de 1940, dia de ano bissexto.

Em 2 de janeiro de 1942, meu avô Philip celebrou seu 57º aniversário. Ele e a esposa tinham dinheiro, e tempo, suficiente para sair para a cidade, num encontro a dois, sem as crias. Tudo melhorava, em todos os aspectos. Meu avô fazia dois turnos no restaurante, ganhando gorjetas generosas, embora muito merecidas, por seu serviço impecável, e *Yaya* trabalhava diligentemente na labuta de ensinar, e assim foram descascando as paredes de pobreza que os envolveram por toda a vida. Philip conseguiu arranjar tempo para fazer testes para diversas vagas anunciadas para artistas e afins nos espetáculos de variedades dos teatros e cassinos locais. Sempre confiante, ele não desistiu, mesmo depois de todos aqueles anos, de realizar o sonho de tornar-se artista de palco.

Meus avós paternos estavam prestes a economizar dinheiro suficiente para sair do conjunto habitacional – na West Platt Street, 1.209, a pouco mais de uma quadra de uma movimentada estrada no centro-sul de Tampa – e comprar a casa própria. Philip conseguira um trabalho, um que pagava bem, como integrante de uma trupe no Tampa Bay Hotel Casino. Aos 57 anos, o sonho finalmente se tornara realidade. Meu pai, com sete anos de idade na época, e a irmã Maria, de seis, dançaram a giga em comemoração com meu avô quando ele contou a novidade. Deram voltas e mais voltas pela sala, cantando e dançando em grande estilo. Quando Philip desabou no chão sem aviso, meu pai e a irmã não deram bola – acharam que ele estava atuando. Eles riram e pularam em cima dele várias vezes, apreciando essa variação na celebração improvisada.

Yaya e tio Jimmy entraram no apartamento alguns minutos depois. *Yaya* viu meu avô no chão e gritou. Ele tinha morrido de ataque do coração. Philip jamais fizera um exame completo na vida, exceto os mais superficiais em Ellis Island.

Meu pai viu-se metido no papel de arrimo de família. Minha avó já tinha grandes planos para meu tio, dez anos mais velho. O que ela ordenava ao meu pai eram só trabalho e pouca brincadeira, para que o tio Jimmy pudesse se matricular na faculdade e seguir no direito. Meu pai jogou-se nesse novo papel que a vida lhe impusera com tudo que tinha. Como um xucro, vendia jornal na esquina e entregava compras. Chegou até a aparecer num artigo de jornal do *Tampa Bay Times* quando um freguês lhe deu uma moeda muito antiga que acabou sendo de valor considerável – isso começou o que viria a ser a paixão de toda uma vida do meu pai de colecionar moedas.

Ele também achou um jeito de se apresentar. Algo que acabou sendo um dos maiores salários que ele teve. Ele aprendeu a tocar piano de ouvido. Canções no estilo *boogie-woogie* eram seu forte. As que ele ouvia fora das tavernas e salões de baile enquanto vendia jornais. Ele ficou tão proficiente que logo tornou-se um dos principais pianistas nesses locais. Tendo ele talento natural para o espetáculo, meu avô sem dúvida o consideraria filho de peixe. Abençoado com memória fotográfica, em pouco tempo meu pai estava brincando com as teclas cor de marfim como um profissional experiente tocando canções complexas. Ele entregava a seus muitos trabalhos tudo que tinha, com amor e abandono. Não sentia a menor pena de si mesmo, não achava que estava perdendo alguma coisa ou que tivera má sorte. Não era do feitio dele, não era a natureza dele. E ainda assim ele arranjou tempo para ir muito bem na escola pública. Embora pudesse frequentar apenas parte do dia, não foi penalizado por perder as aulas da tarde; entregava todos os trabalhos e tirava nota máxima em tudo. Só Deus sabe quando ele dormia.

Apenas cinco anos depois, tio Jimmy foi chamado para servir de novo, dessa vez na Guerra da Coreia. Teria de dar um tempo no curso de direito. Agora *Yaya* colocava todas as suas esperanças de segurança financeira no trabalho no meu pai. Modesto, ele disse a ela que sua meta era abrir uma lojinha, e se o espaço fosse grande o bastante, reservar um pedaço para um pequeno piano bar. *Yaya* não quis nem ouvir falar disso. Entregou-lhe um anúncio que rasgara do mesmo jornal que ele vendia. Era do famigerado estaleiro de Newport News, Virgínia, o maior do mundo com toda uma cidade de empregados, localizado na península da Commonwealth. O anúncio dizia que estavam procurando alunos para a nova escola de aprendizes no estaleiro de Newport News. Precisavam de alunos brilhantes que pudessem ser treinados na arte e na ciência intrincadas de construir navios para clientes que incluíam o exército norte-americano e indústrias privadas.

Yaya disse ao meu pai em termos muito claros que ele ia preencher aquela inscrição, que seria aceito e que seria treinado para projetar navios. E foi o que aconteceu. Pouco depois de chegar a Newport News, meu pai conheceu a minha mãe, Margaret Ann, uma moça que estava para concluir a escola e se matricular na faculdade de enfermagem. Casaram-se em 10 de abril de 1955. Perdidamente apaixonado e mais inspirado que nunca, além de seus exaustivos estudos, meu pai aprendeu sozinho o vaivém do mundo dos investimentos. Começou a vender fundos mútuos para trabalhadores do estaleiro e colegas de estudos. Ele arranjou tempo também para atuar como presidente de sala na escola de aprendizes, participar de todos os esportes oferecidos – basquete, beisebol, futebol americano – e ser excelente em todos, o tempo todo aprendendo uma profissão valiosa na projeção de navios.

De lá, meu pai entrou para o exército, no qual treinou como operador de rádio. Felizmente, era um tempo de paz. Pouco depois, ele foi contratado pelo Departamento da Marinha como supervisor de construção de navios, que supervisionava a construção, no estaleiro de Newport News, de todas as embarcações da marinha contratadas para serem construídas ali. Além disso, ele se tornou a primeira pessoa a graduar-se no Christopher Newport College que obteve o diploma fazendo apenas aulas no período noturno. Uma imagem que permanece comigo: meu pai sentado sozinho, de madrugada, na mesa da sala de jantar, os livros espalhados por todo canto, o nariz enterrado neles. Depois de voltar para casa após um longo dia de trabalho, e após uma longa noite na faculdade, ele fazia uma refeição rápida e se metia nos livros, não somente para se sair bem nas aulas da faculdade, mas também para passar na prova para se tornar engenheiro profissional. Meu pai tinha desenvolvido uma paixão pelo mundo da engenharia elétrica enquanto estava na escola de aprendizes. Ela não oferecia especialidade nisso, então ele dominou o assunto sozinho, aprendendo princípios matemáticos complexos que se aplicavam à engenharia elétrica e à construção de navios, com sua memória fotográfica, tanto quanto aprendera partituras musicais complexas quando criança.

Não me surpreende meu pai ter se apaixonado pelo mundo da construção de navios. Dado o que ele partilhara com orgulho e paixão de seus antepassados marinheiros, estava no DNA dele. Pouco de estranhar ele ter ficado decepcionado quando foi alistado para o exército, e não a marinha. Muitos anos depois de deixar o estaleiro de Newport News, ele encontrou um lar na marinha ao embarcar no que viria a ser uma carreira estelar no Departamento da Marinha. Tivemos de mudar para os arredores de Washington D.C., onde moramos por muitos anos, e depois, para ele avançar ainda mais na escada burocrática, retornamos a Newport News. Embora fosse difícil nos ajustarmos de novo à vida no sul, num lugar muito menos cosmopolita (em termos amenos) do que o entorno da capital, foi desse jeito que se tornou realidade o sonho do meu pai de ser supervisor de construção de navios de todas as maiores embarcações da marinha e também pôr em uso suas habilidades de engenheiro elétrico.

Na época em que meu pai se aposentou, em 1999, foi como chefe da divisão elétrica da supervisão de construção de navios. Nessa função, meu pai – que tinha sido indicado para um prestigioso prêmio pela Sociedade Norte-Americana de Engenheiros Navais, por grandes contribuições que fizera sozinho e trouxeram avanços no campo – supervisionava todo o projeto e a instalação elétricos da frota de cargueiros de caças nucleares do nosso exército. Eu fui a todos os batismos de cargueiros com o meu pai, a começar com o USS Nimitz, em 1972. Eu me sentia honrado de estar tão perto de dignitários como senadores dos EUA e altos oficiais da Casa Branca. Apreciei bufês que ofereciam iguarias como camarão quase do tamanho da minha mão; alguns que meu pai, com o menino pobre ainda parte de si, enrolava em guardanapos e enfiava nos bolsos do terno para levar para casa – ternos que ele ainda estava pagando, embora agora estivesse mais do que seguro financeiramente, da marca Goodwill, para poder investir cada centavo para garantir que, na velhice, ele não seria um fardo para os outros e ainda pudesse deixar uma boa soma de herança para aqueles que considerava que mais mereciam.

Quando meu pai se aposentou e mudou-se de volta para Tampa, esse era um sonho de muito tempo finalmente realizado. Mas seus "anos de ouro" tinham sido manchados; nunca lhe foi permitido aproveitá-los totalmente. Doze breves anos após retornar para a cidade de sua infância e juventude, ele faleceu.

Diante do túmulo dele, eu disse: "Sinto muito, pai". No fim, todos nós que o amávamos profundamente falhamos com ele; não estávamos lá para protegê-lo e cuidar dele na hora em que mais precisou, quando estava mais frágil e vulnerável.

A última vez que vi meu pai dormindo, quando a família reuniu-se com ele num *resort* na Flórida, alguns meses antes de ele falecer, ele estava encaracolado no sofá, tarde da noite, feito uma criança, com um travesseiro entre os joelhos. Enquanto ele dormia profundamente, eu acariciei o cabelo e as mãos dele. Antes que tudo estivesse acabado, nós tínhamos superado todas as diferenças e redescoberto o amor transcendental que tínhamos um pelo outro – um amor que sempre esteve ali, mas às vezes pode ser enterrado, ou enterrar-se.

Agora, mais do que nunca, tudo que faço para trazer um pouco de amor, alegria e entendimento ao mundo, do meu jeito modesto, eu faço pelo meu pai, por tudo que ele foi e não foi, e faço por mim, por tudo que sou e não sou, pelas minhas filhas, por tudo que são e ainda serão, pela minha esposa, por tudo que ela é, entra e sai dia, e sempre será. Não só por eles, muito menos por mim, mas começando com eles, expandindo para fora, para a frente, para cima, e de volta dali. Isso torna possível suportar, amar e ter esperança, destilar amor até do mal, e amar até os sem amor e os cheios de ódio com toda a minha força e mente, e sem ressentimento.

Antes de deixar o cemitério, sussurrei: "Você merece descansar, pai. Por favor, descanse em paz, agora". E mais uma vez: "Eu amo você".

PARTE II

ALMA DE BONDADE

A alma de uma enfermeira

Quando cheguei ao aeroporto de casa, todos os meus eventos e apresentações do restante de 2020 e da primeira metade de 2021, ao redor do mundo, tinham sido cancelados ou postergados indefinidamente por causa da pandemia que se desenrolava. Na verdade, foi enquanto eu esperava o motorista do Uber que me levaria do aeroporto para casa que recebi a notícia de que o meu último evento também tinha sido cancelado – a palestra na feira internacional do livro de Riyadh, na Arábia Saudita.

Sócrates Cafés tinham se espalhado por todo o Oriente Médio nesses últimos anos, e muito mais na Arábia Saudita e em Barein, graças aos esforços entusiásticos de Hadi Alshaikhnasser. O médico que, enquanto fazia residência nos EUA, participava regularmente do primeiro Sócrates Café que eu comecei em Montclair, Nova Jersey, ainda se encontra semanalmente quase um quarto de século depois. Quando retornou à Arábia Saudita, instalou lá um Sócrates Café. Meu livro foi traduzido para o árabe pelo próprio Hadi, depois que retornou, e publicado no início de 2020 por uma editora de destaque de Riyadh.

De todos os meus compromissos agendados que foram cancelados, esse foi o mais decepcionante. Depois da feira do livro, eu ansiava tanto viajar por toda a Arábia Saudita com Hadi para falar de Sócrates com todos aqueles que participavam dos diversos grupos que ele fora instrumental em estabelecer pelo país.

Além de Hadi, outra pessoa que eu não via a hora de conhecer pessoalmente era Ayasha, uma enfermeira de 29 anos de idade que trabalhava num hospital público e participava regularmente de Sócrates Cafés. Durante a corrida de Uber para casa, ela me mandou uma mensagem pelo WhatsApp: "Acabei de saber das notícias. Que pena".

Depois que Hadi nos apresentara por e-mail alguns meses antes, a mãe de dois filhos me escrevera para dizer que considerava os encontros algumas das experiências mais significativas da vida dela – não somente pela estimulação intelectual de estar junto de tantos "pensadores profundos", como ela os chamava, mas porque eles a ajudavam a ver o mundo sob novas luzes sempre que ela ponderava as verdades sentidas que os outros partilhavam e defendiam tão apaixonadamente quanto ela fazia às dela. Ela me contou que quis estudar filosofia na faculdade, mas isso não era permitido para mulheres, então devorou livros de filosofia, como autodidata – e que seu maior sonho era, um dia, ser professora de filosofia de dia e enfermeira à noite.

Ayasha quis ser enfermeira desde criança, desde que o pai, engenheiro, lera para ela sobre Rufaidah Al-Asalmiya. A primeira enfermeira muçulmana, que viveu na Arábia Saudita na época do profeta Maomé, no século VIII (bem antes de Florence Nightingale), Rufaidah é um modelo amado por enfermeiras modernas no Oriente Médio por seus esforços infatigáveis para promover saúde comunitária e por estabelecer o primeiro programa de treinamento rigoroso para enfermeiras. Apesar do salário baixo, muitas demissões e longas horas de serviço, Ayasha amava o que fazia.

Eu participei de uma discussão num Sócrates Café com ela e várias outras mulheres sauditas num grupo de WhatsApp que ela reuniu. Exploramos "Qual é o melhor jeito de mostrar que você se preocupa?". Fui arrebatado, durante o discurso, quando Ayasha partilhou com paixão e autoridade a filosofia do cuidado de Martin Heidegger. Ela nos explicou a afirmação de Heidegger, de sua obra prima *Ser e tempo*, de que *Sorge* – o desejo de "cuidar" do mundo – está para ela no coração do ser humano autêntico. Para Heidegger, como Ayasha partilhou, *Sorge*, que literalmente se traduz como "cuidado", representa as duas posturas humanas fundamentais – cuidar dos outros e estar presente de todo – que todos nós precisamos praticar para fazer do nosso um mundo que seja coração. "Ao cuidar dos outros, você está também sendo cuidado", ela nos disse, "e fazendo isso de olho no futuro. Porque isso é um jeito de cuidar do bem-estar do mundo em si". Ela disse que a vocação dela, enquanto enfermeira, era a maneira dela de cumprir essa postura heideggeriana.

Nesse momento, a divorciada mãe de dois me mandava uma série de mensagens. Ayasha estava no intervalo de uma hora de seu turno, no hospital. Ela me contava que ela e as colegas não tinham todo o equipamento de proteção de que precisavam, o que dificultava cuidar adequadamente dos pacientes. Ela disse que o primeiro paciente com coronavírus, um homem de cerca de sessenta anos, com comorbidades, morrera, e que estava sendo difícil para ela. "Cerca de uma hora antes de falecer, ele me pediu que rezasse com ele", ela me contou. "E eu recitei o *Shahadah*, a profissão de fé muçulmana. Nós consideramos isso um ato supremo de carinho. E eu usei as palavras '*Insha' Allah*' – a vontade de Alá – para assegurá-lo de que ele ia melhorar. Mas então ele morreu. Isso mexeu comigo."

Em seguida, contou-me que planejava tirar licença do trabalho, mesmo que isso significasse perder o emprego. "Não posso correr o risco de passar o vírus aos meus filhos. Agora, eu devo ficar o tempo todo com eles em casa, cuidando deles. Não deixarei que vão à escola, mesmo não tendo sido fechada oficialmente ainda."

Ayasha me mandou uma foto sua de *hijab* e *burqa* com os dois filhos adoráveis. Nesse momento, cheguei à minha casa. Os meus filhos adoráveis saíram, aos pulos, com a minha amada esposa, quando me viram. Mandei de volta a Ayasha uma foto borrada da nossa reunião, que ali acontecia.

Só tive tempo de ler a última mensagem dela, que era muito longa, cerca de uma hora depois.

> Fique em segurança com a sua linda família. Logo o nosso universo retornará para suas dimensões normais. Esse, sem dúvida, não é o fim do mundo! Esse tempo de isolamento é uma forma de vida ativa, e nos dará um descanso necessário para podermos decidir melhor o que fazer, e o que não fazer, para essa próxima parte da nossa vida – uma vida que pertence apenas a cada um de nós.
>
> Devemos usar essa quarentena para descobrir mais sobre nosso eu individual, mas de uma forma que nos permita viver mais conectados aos outros, a viver sem fronteiras. É bom ter essa oportunidade de ficar sozinho por um tempo, no nosso mundinho, e cuidar e amar aqueles que significam tudo para nós – mas somente se, no fim, isso nos mostrar como ser mais carinhosos e amáveis para com todos.
>
> *Khuda hafiz* (fique com Deus).

Uma caminhada no parque

Nessa mesma noite, minha filha mais velha, Cali, de quase catorze anos, e eu retomamos nossa tradição de dar voltas em torno do pequeno parque perto de casa. Ela não gosta muito mais de andar de mãos dadas comigo, mas me deixa passar o braço nos ombros dela. Além de assuntos de pai e filha mais típicos, já tivemos os nossos Sócrates Cafés *tête-à-tête* – e boa parte disso eu posto no meu canal no YouTube – desde que ela era criança. Questões que exploramos ao longo dos anos incluíram: parentes podem ser amigos? Como é uma escola boa? Quando a mudança lhe faz bem, e quando faz mal? Existe o Papai Noel?

Andamos em silêncio por um tempo. Então ela disse: "Pai, sinto falta do vovô".

"Eu também, querida."

"Por que nem pudemos dizer adeus a ele?"

"Tem umas pessoas sofridas nesse mundo, meu amor."

"Eu digo oi e tchau ao vovô todo dia. Quando acordo e quando vou para a cama."

"Eu faço mais ou menos a mesma coisa. Aprendi muito, nessa viagem, do melhor jeito de homenageá-lo."

"À noite, quando não está conseguindo dormir, a Cybele me pergunta sobre o vovô", disse ela, referindo-se à irmã de seis anos, batizada com o nome da deusa grega da natureza e da cura. "Eu tento contar para ela tudo que me lembro dele. Às vezes, ela chora. Fica tão triste porque eles nunca vão se conhecer. Teriam se dado muito bem." De fato, teriam.

Pouco depois que cheguei em casa, Cybele tinha me pegado pela mão e me levado ao escritório. "Eu fiz uma coisa pra você", disse. Na minha mesinha, ela tinha feito um altar para o avô dela, meu pai. Tinha algumas das minhas fotos preferidas, com vasos de flores e uns desenhos que ela tinha feito, e todos diziam "Eu te amo, vovô".

"Eu coloquei na sua mesinha, na frente da sua mesa, para você vê-lo e pensar nele o tempo todo", ela disse.

"É lindo", eu respondi, e caí no choro.

Mais tarde, eu lhe perguntei: "Por que você colocou uns livros meus no altar?".

"Porque você disse que foi graças ao vovô que você conseguiu se tornar escritor e realizar os seus sonhos. Eles conectam você e o vovô. E sempre que você ficar sem ideias nos livros que estiver escrevendo, você pode olhar para o altar, o vovô, e se inspirar."

Eu estava pensando nisso durante a minha caminhada com Cali. Então ela me disse: "Pai, tenho medo de que você vá morrer. Quero que viva até mais de cem anos".

Pensei muito no que responder. Devia ser difícil ter um pai que era tão mais velho do que os da maioria dos amigos. "Não sei o que lhe dizer, querida. Qualquer um pode morrer a qualquer hora. Mas eu penso que, com um pouco de sorte, eu viverei por muito tempo, principalmente visto que você, a mamãe e a Cybele cuidam de mim tão bem."

"Quando você não puder mais andar, eu o levo para passear nesse parque na cadeira de rodas", ela disse, os olhinhos brilhando de amor.

"Cali, muitas pessoas perdem tempo demais se preocupando com a morte", eu disse. "Todo segundo que passamos nos preocupando com a morte é um segundo precioso que não estamos vivendo ao máximo, aqui e agora. Eu penso em Martin Heidegger e os truísmos dele de que todos – todos – têm muita ansiedade com relação à morte e a morrer, e que é a coisa mais natural no mundo. Ao contrário, gente demais tem ansiedade com relação à vida e a viver, em dar ao seu momento mortal tudo que tem."

Disse-lhe que realmente acredito que aqueles que têm essa possibilidade devem viver a vida ao máximo, sem saber quando vai acabar o tempo – e, de certa maneira, isso mostra quanto nós cuidamos dos outros e do próprio mundo. "Todos nós temos de encontrar um projeto cheio de propósito que possa contribuir para esse cuidado."

Cali pensou bastante nisso.

"Sabe o que eu vou fazer, pai? Vou abrir um santuário para dar um lar cheio de amor para todos os gatos sem dono que têm por aqui."

A maior amante dos gatos prossegue, dizendo: "Quero que todos os gatos vivam sua vida se sentindo amados, abrigados e mimados".

"Que ideia ótima, querida."

"Vou começar amanhã. Não, vou escrever meu plano de ação para fazer isso acontecer assim que chegarmos à nossa casa."

"Mas está tarde. Não quer esperar até amanhã de manhã?"

"Posso dormir outra hora. Os gatos abandonados daqui precisam demais de mim para que eu espere um dia mais que seja para começar a construir esse santuário."

Um desejo de bondade

Sou abençoado por ter uma família que é toda bondade.

A *Apologia* de Platão, que conta os últimos momentos de vida de Sócrates e é uma justificativa vibrante de por que viver e morrer de certa maneira é uma recompensa em si, é amplamente considerada um dos dramas mais tocantes já escritos, baseados em realidade ou não. Muito menos conhecido é que Xenofonte – que eu acredito não somente que foi um grande historiador, mas um filósofo proficiente, com todo o direito – escreveu seu eloquente conjunto de fundamentos justificando o jeito de ser de Sócrates. Ele reuniu uma série de provas para oferecer uma defesa robusta e rechaçou as acusações feitas contra Sócrates, que levaram à sua sentença de morte.

> A acusação contra ele foi a este efeito: Sócrates é culpado de rejeitar os deuses reconhecidos pelo Estado e de trazer deidades estranhas: é também culpado de corromper jovens [...] [Contudo] ele ofereceu sacrifício constantemente... ora em sua casa, ora nos altares dos templos do Estado [...] Ademais, Sócrates vivia de modo aberto; [...] passava onde a maioria das pessoas se encontrava: estava sempre conversando, e qualquer um podia ouvir. Entretanto ninguém nunca soube que ele fez ofensa contra piedade e religião em ato ou palavra.

Igualmente importante, Xenofonte enfatiza, Sócrates falava "sempre de coisas do humano".

> Os problemas que ele discutia eram: o que é dos deuses, o que não é; o que é belo, o que é feio; o que é justo, o que é injusto; o que é a prudência, o que é a loucura; o que é coragem, o que é covardia; o que é um Estado, o que é um estadista; o que é governo, e o que é um governador – estes e outros semelhantes.

Chegar a mais e mais profundas respostas contribuía para a compreensão que se tinha dos próprios deuses, Xenofonte afirmava, visto que eles sabiam todas essas coisas. Longe de ser um "pensador livre" rebelde, Sócrates "nunca disse nem fez nada contrário à sã religião, e suas afirmações acerca dos deuses e seu comportamento com relação a eles eram as palavras e as ações de um homem verdadeiramente religioso e merece ser pensado como tal".

Portanto, qualquer acusação de que Sócrates corrompia a juventude, para Xenofonte, era basicamente ilusória.

> Em primeiro lugar, [...] no controle de suas paixões e seus apetites, ele era o mais estrito dos homens; ademais, ao suportar [...] todo tipo de estafa, ele era o mais resoluto; [...] suas necessidades eram tão adestradas à moderação que, tendo muito pouco, ele era entretanto muito contente. Tal era o caráter dele: como, então, ele poderia ter levado os outros a impiedade, crime, gula, luxúria ou preguiça? Pelo contrário, ele curava esses vícios em muitos, colocando neles um desejo de bondade, e dando-lhes a confiança de que a autodisciplina faria deles cavalheiros.

Sócrates era a favor de "inculcar um desejo de bondade". Em palavra e ato, Xenofonte enfatiza em seu *Memorabilia*, seu mentor "mostrava a seus companheiros que ele era um cavalheiro, e falava com excelência de bondade e de todas as coisas que se relacionam com o homem". Até mesmo os mais libertinos – Xenofonte refere-se especificamente a Alcibíades e o rebelde Crítias – assumiam seu lado mais angelical e tornavam-se a prudência personificada na presença de Sócrates, graças ao seu exemplo inspirador. "Tudo que é honrável, tudo que é bom em conduta é resultado de treinamento, e isso vale especialmente para a prudência", escreveu Xenofonte, e ninguém era melhor modelo de tal treinamento do que o próprio Sócrates.

Para Xenofonte, Sócrates era todo a favor da bondade, "constantemente ocupado", como era, "com a ponderação de certo e errado, e em fazer o que era certo e evitar o que era errado". O que Sócrates equacionava como fazer o certo e, como resultado, evitava estudiosamente fazer o errado? Segundo Xenofonte, Sócrates explicava isso do seguinte jeito: "Vive melhor, penso eu, aquele que mais se esforça para ser o melhor possível: e vive a vida agradável". Ele prosseguia dizendo que a vida dele mesmo não poderia ter sido melhor ou mais agradável, porque a vida que ele levava era o epítome "daqueles que têm ciência de que estão crescendo em bondade" – *kalokagathia*, em grego. Para Sócrates, tal nobreza de mente e magnanimidade deviam-se principalmente "crescer no saber do que é realmente útil e benéfico e bom tanto para a humanidade quanto para si mesmo, enquanto indivíduo" – e isso levava à saúde da alma.

Trágico herói da bondade

Meu pai me disse que seu irmão mais velho, meu tio Jimmy – uma mistura de Sócrates, Zorba e Willie Loman, e para mim um inadulterado herói da bondade – não voltou para casa a mesma pessoa depois de servir na linha de frente no Conflito da Coreia e na Segunda Guerra Mundial. Mesmo assim, tio Jimmy tirou vantagem do G.I. Bill para se matricular na Universidade de Tampa, onde foi selecionado para o prêmio *Who's Who in American Colleges*. Ele estudou literatura, e foi excelente. Em seguida, rumou para a faculdade de direito, com grandes expectativas. Mas largou o curso por motivos nunca explicados totalmente.

Em vez disso, tio Jimmy entrou na carreira de corretor de seguro. Embora nunca tenha deslanchado, ficou nessa área até se aposentar, quase meio século depois. Meu tio sentia como se vivesse sob a sombra do meu pai, alguém tão realizado, por mais que meu pai tentasse lhe transmitir a ideia de que ele era o verdadeiro herói da família, pelo serviço valioso que prestara ao país.

Tio Jimmy raramente partilhava comigo algo do seu tempo de soldado. Uma noite, no entanto, muitos anos depois que comecei o Sócrates Café, fiquei na casa dele, em Tampa, quando meu pai estava fora da cidade. Tio Jimmy abriu-se de um jeito que nunca tinha feito antes, nem fez depois. "Eu vi umas coisas, tive de fazer umas coisas", ele me contou, fazendo uma pausa aqui, outra ali. "Às vezes, era matar ou ser morto. Se você não fazia o mal, o mal seria feito a você." A angústia no rosto dele era palpável quando ele disse isso. Era mais do que uma lembrança; ele estava revivendo uma experiência dessa época.

Ele se levantou da cadeira reclinável e tirou dois livros velhos de uma estante. Disse que os tinha levado consigo, na mochila, em suas viagens de serviço. Um deles era *Henrique V*, de Shakespeare, o outro era *Prometeu desacorrentado*, de Percy Bysshe Shelley. Como a mãe, tio Jimmy era poeta, e dos bons. Ao contrário da mãe, além da afinidade natural que tinha pelos grandes trabalhos gregos de filosofia, poesia e arte, ele tinha também paixão por Shakespeare e os românticos (para os quais minha *Yaya* não ligava muito, ainda mais depois que ele apontou para ela quanto eles tinham sido influenciados por gente como Homero e Sófocles).

Embora para lá de contente com o renome do meu Sócrates Café, tio Jimmy ficou ainda mais encantado ao ver a minha poesia publicada em jornais importantes, incluindo as mesmas edições que continham trabalhos de gente como Charles Bukowski, que, como eu, tinha começado um pouco tarde. Bukowski escrevia sobre desolação e abandono; eu escrevia mais sobre busca e morte.

Tio Jimmy contou-me que tinha sido apresentado àquelas duas obras, em particular, por seu primeiro grande amor (não era uma moça grega, para a tristeza da minha *Yaya*) da juventude. Ela lhe dera os agora gastos volumes pouco antes de ele começar o treinamento na Carolina do Sul. Eles foram a porta de entrada para o que viria a ser um amor de toda a vida para ele por Shakespeare e os românticos – área de especialidade dele, nos estudos de literatura, antes de passar para a faculdade de direito. *Henrique V* e *Prometeu desacorrentado* continuavam sendo os favoritos dele, com o passar dos anos, as duas obras com que ele mais se identificava.

Tio Jimmy abriu *Henrique V* numa página muito carcomida e leu: "Há algo de uma alma de bondade em coisas más, caso os homens a destilassem com cuidado". E olhou para mim. "A guerra é uma coisa ruim em si, Christos; não tem nada de glorioso nem de romântico. Mas pode ter algo de uma alma de bondade se você estiver lutando do lado certo. Na Segunda Guerra Mundial, tivemos de cometer o mal necessário na batalha para derrotar um inimigo que queria apagar as luzes sobre a humanidade. Na Coreia, os líderes dos nossos oponentes eram uns bárbaros, cometiam assassinato em massa. Coisas más tiveram de ser feitas para impedir um mal maior." E ficou em silêncio. "Boas pessoas morreram nas linhas de frente. Dos dois lados. Maridos, pais, que não tinham escolha senão servir, que só queriam voltar para casa, para a família. Não é justo, nem correto, eu ter sobrevivido quando muitos do meu grupo de irmãos não sobreviveram. Não foi justo nem correto que tivemos de fazer umas coisas, por mais necessárias, ninguém deveria ter de fazer."

Ficamos sentados, um de frente para o outro, num silêncio confortável. Muito depois, nessa noite de insônia, tio Jimmy me disse: "Quando voltei da Guerra da Coreia, quis criar, do que restara, uma boa carreira, uma família feliz. E começou bem". Mas sacudiu a cabeça e repetiu: "Começou bem...".

Meu tio me confidenciou que, depois que a esposa o deixou e ele se afastou dos filhos, ele ficou dirigindo na avenida à beira-mar, que vai de Tampa a St. Petersburg, e saiu da estrada num ponto isolado da praia. Ele me disse, com a voz falhando um pouco, que o plano era meter o pé no acelerador e enfiar o carro na água, com as janelas abaixadas, a toda a velocidade. "Sentado no carro, liguei e desliguei o motor, e fiquei assim não sei quanto tempo. A marcha estava no ponto morto, mas minha mão estava pronta pra mudar pra dirigir."

"Mas não levei adiante." Tio Jimmy contou-me que direcionou o carro para a estrada e voltou para casa. Disse que foi até o escritório e escreveu poema atrás de poema, até ter passado por toda a sensação de abandono e a raiva que se originava disso, até ter confrontado, por meio desse ato criativo, pesar, remorso e culpa profundos. Disse que rasgou os poemas logo depois; tinham cumprido a função deles e não deviam ser vistos por mais ninguém.

Em seguida, meu tio abriu o *Prometeu desacorrentado* numa página ainda mais (se é que era possível) gasta e carcomida. Em sua voz grave, ele leu: "Sofrer aflições que a Esperança julga infinitas; perdoar erros mais obscuros que morte ou noite; desafiar Poder que parece onipotente; amar e suportar; acreditar até que a Esperança crie, dos próprios escombros, aquilo que contempla. Não mudar nem vacilar nem se arrepender; isso... é ser bom, grande e jubiloso, belo e livre".

Finalmente, ele disse: "Uma ordem que me deram, eu recusei. Desafiei poder onipotente. Algumas linhas você não pode cruzar, Christos. Mas paguei um preço".

Algumas linhas não se pode cruzar. "Mas o que fazer quando alguém as cruza, e você está do outro lado, do que recebe?", perguntei-lhe.

A expressão dele disse tudo: "Conte, Christos. Conte o que aconteceu".

Nesse momento, senti um nível extraordinário de confiança e proximidade com o meu tio. Partilhei com ele algo que nunca tinha contado a mais ninguém: algo que me fizeram num fim de semana quando eu ainda nem era adolescente, quando meus pais estavam fora e me deixaram em casa. Que me deixou traumatizado, aterrorizado. Por muitos anos, depois disso, tive ataques de pânico paralisantes. Em certa altura, nos meus vinte e tantos, tive uma depressão entorpecedora. Uma escuridão como a morte ou uma noite em que nada se enxerga. Eu não sabia como procurar ajuda profissional. Buscava consolo mais nas palavras escritas pelos outros, e na minha poesia, ficção e não ficção, e na música.

Escorriam lágrimas pelas bochechas dele. "O que aconteceu com você é uma coisa diabólica, Christos." Ele me disse muito mais, e me deu boa parcela de direcionamento, com base nas experiências dele com síndrome de estresse pós-traumático.

E depois me disse: "Isso me faz admirar ainda mais o que você conquistou. Seu pai diz que você é o melhor de todos nós. Chama você de pacificador da família".

"Seu pai me contou, uma vez", disse ele, sorrindo um pouco, "que, quando era pequeno, você trancou a ele e sua mãe dentro do quarto amarrando um barbante bem apertado na maçaneta da porta do seu quarto e do deles. Disse que não deixaria que saíssem enquanto não parassem de brigar. Isso fez que eles parassem. Ele me disse que bateu em você depois. Aposto que nunca lhe pediu desculpa". Não, mesmo. "Por mais que tivesse se ressentido do que você fez, naquele momento, na verdade ele ficou admirado com isso. Sua intenção foi muito digna, e foi preciso ter muita coragem. Você desafiou o poder onipotente – o pai com raiva, nesse caso."

Sob o sol que entrava por entre as cortinas, tio Jimmy passou a mão pelos cachos cada vez mais grisalhos e disse: "Christos, as pessoas que fazem o mal não são tão diferentes de você e de mim. Alguma coisa deu errado com elas. Só essa experiência – principalmente na infância – pode lhes causar dano duradouro. 'Lá, exceto pela graça de Deus, vou eu.' Até mesmo a pior pessoa em quem você possa pensar não é de todo um diabo ou um monstro, ainda que faça coisas diabólicas, monstruosas".

Na semana seguinte, tio Jimmy partiu em sua oitava viagem a Nísiros. Ele disse que era o único lugar em que encontrara paz de mente e coração. Viajou para lá, ao longo das décadas, mesmo se pudesse ou não pagar por isso (e não podia). Ele sabia que meu pai e eu planejávamos ir lá juntos. "Não se esqueça de que uma das primeiras coisas que faça seja visitar a acrópole e ver a vista de cima do muro", ele me disse, antes de nos separarmos nessa noite. "Você sentirá umas coisas ali, e verá umas coisas, vivenciará, que pessoas como nós não poderão ver em nenhum outro lugar."

Quatro meses depois, dez dias antes dos horrores de 11 de setembro de 2001, tio Jimmy morreu. Foi meu pai que o descobriu, na banheira de casa, morto por um ataque massacrante. Tio Jimmy deixou a maior parte de suas poucas posses materiais de valor financeiro a seus entes queridos mais próximos. Deixou ao meu pai uns livros que, para ele, eram preciosos, e dois anéis bem valiosos, ambos que ganhara décadas antes por seu serviço (como tudo da casa do meu pai que tinha valor, os anéis foram roubados quando ele morreu).

Meu pai ficou inconsolável quando perdeu o irmão mais velho. Ele tinha sido o único que entendera tudo que tio Jimmy sofrera, uma vida cheia de promessas por emergir realmente virada do avesso, por causa das experiências diretas que ele vivera enquanto soldado da inumanidade do homem para com o homem. Por trás do exterior convencional, e o posto alto junto ao Departamento de Defesa, após servir no exército, espreitava um progressista no sentido de que, para o meu pai, os EUA tinham se tornado imperialistas demais. Ele se opusera à Guerra do Vietnã desde o primeiro dia em que nos envolvemos nela. Meu pai acreditava num exército forte, mas era contra guerras e intervenções militares desnecessárias que na verdade não passavam de exibições de poder (ficava lívido com a junta militar na Grécia, entre 1967-1973, mais ou menos na mesma época do conflito no Vietnã). A última vez que meu pai considerava justificado o envolvimento dos EUA foi na Segunda Guerra Mundial. Ele me dizia que não tínhamos nada que fazer nos envolvendo com a Coreia, muito menos com o Vietnã (nem por um segundo ele comprou a "teoria do dominó" de LBJ). Ele acreditava que nossa participação crescente acabava por fazer recuar esforços no sentido de espalhar a democracia pelo mundo. Acima de tudo, meu pai era ainda mais influenciado pelas cicatrizes da Segunda Guerra Mundial e o conflito da Coreia que marcavam o meu tio e que o impediam de realizar seu potencial. Ele me disse muitas vezes quão grato era por nem eu nem meu irmão mais velho termos sido recrutados; tínhamos catorze e dezesseis anos quando nossas tropas foram finalmente retiradas. Como nunca tinham me pedido que fizesse algo pelo meu país, eu vivia me perguntando, a começar de idade tenra, o que eu podia fazer por ele, e respondi a esse questionamento muitas vezes, em vários estágios, e pus as respostas para funcionar, desde o trabalho voluntário no Unicef até o Sócrates Café.

Tio Jimmy é meu amado herói trágico e o epítome da bondade. Como Sócrates, ele tinha uma coragem moral inexorável misturada a uma obstinação desafiante, demonstrada pela recusa a cruzar uma linha moral, na guerra, mundo afora, que teria feito a vida dele não valer a pena se ele tivesse cruzado. Tio Jimmy, na maior parte da vida, não teve sucesso profissional, mas enfrentou a vida sem pestanejar, e fez o melhor que pôde para enfrentar demônios não criados por ele. Foi um grande homem que fracassou. No meu livro, e no de qualquer um que valorize coragem, honestidade e integridade acima das noções populares de sucesso, o tio Jimmy foi um herói trágico.

Sócrates foi um fracassado abjeto na época dele. Falhou com Alcibíades. Falhou com Atenas. Isso não faz do que ele fez menos nobre ou heroico, mas ainda mais. As chances de ser bem-sucedido eram impossíveis para ele. Ainda assim, ele fez a coisa certa, sem a menor expectativa de ir para "um lugar melhor" após a morte. Não importava muito para ele o que – se é que havia algo – viria depois. Como o meu tio Jimmy, ele acreditava que a vida vivida de certa maneira, aqui e agora, era a recompensa em si.

Gota de bondade

"A gratidão é parte da graciosidade dos que têm alma grandiosa", escreveu Friedrich Nietzsche em *Crepúsculo dos ídolos*. Ninguém, para ele, foi mais um modelo real de tal pessoa do que Sócrates. Em *A gaia ciência*, ele exaltou o indômito ateniense como um

> gênio do coração [...] cuja voz sabe como descender às profundezas de todas as almas [...] que ensina a ouvir, que suaviza almas ásperas e lhes permite provar um novo ansiar [...] que divina o tesouro escondido e esquecido, a gota de bondade [...] que com cujo toque todos saem mais ricos, sem alcançar graça nem maravilha, não abençoado e oprimido pelo bem de outro, mas mais rico em si, aberto [...] menos certo, talvez [...] mas cheio de esperanças que, por ora, ainda não têm nome.

Nas minhas experiências de "socratizar" pelos últimos 25 anos, eu só vim a divergir de Nietzsche, em sua caracterização de Sócrates, como alguém que descende até as profundezas da alma dos outros. Ao contrário, Sócrates possibilitava para aqueles com quem dialogava descender às profundezas de sua própria alma e esculpir uma ética própria de afirmação da vida.

Após esse mergulho profundo, quem ele encontrava ficava muito melhor em nutrir essa "gota de bondade" – isso equivale ao que Platão caracterizava como uma alma saudável.

Platão elabora um conceito que estilhaça paradigmas do que significa ter uma alma saudável na *República*. Para todas as intenções, e todos os propósitos, ele estava descrevendo seu mentor, Sócrates – mas também aquela persona autônoma paradigmática da ficção, Antígona. Para Platão, tal pessoa é, *ipso facto*, ética, *apesar de* costumes éticos dominantes. No caso de Antígona, ela obedecia a uma lei maior, rejeitando o *ukaz* do rei Creonte para enterrar o irmão, Polinices, como ditaram os deuses dela. O rei a condenou a ser enterrada viva. Quando ele mudou de ideia, no último minuto, ela já tinha tomado o coração nas próprias mãos e se enforcado, para não sofrer a barbárica forma de execução ordenada pelo rei. Igualmente, Sócrates, por sua impiedade piedosa – "corromper" a juventude ao redor mostrando-lhe como pensar por si mesma, algo feito em obediência a um panteão de deuses diferente dos financiados pelo governo (outro crime capital) que davam aval à doença impregnada de sua sociedade –, foi condenado à morte.

Ninguém reconheceu a ligação, e mergulhou fundo nela, entre o conceito de Platão de alma saudável e a "alma de bondade" de Shakespeare como o filósofo transcendentalista norte-americano Ralph Waldo Emerson. Ele foi o único pensador e escritor, de todas as vertentes, que encontrei e vi ligar os dois conceitos. Em *Caráter*, Emerson nos diz:

> uma alma saudável une-se ao Justo e ao Verdadeiro, como o ímã se ajusta ao polo; de modo que se

> encontra, para todos os presentes, como um objeto transparente entre eles e o sol, e quem quer que siga para o sol segue para essa pessoa. Ela é, portanto, o meio de maior influência para todos aqueles que não estão no mesmo nível. Portanto, os homens de caráter são a consciência da sociedade à qual pertencem.

Uma alma dessas é o epítome da autonomia e da consciência social, que não são polos opostos de um *continuum*, mas inseparáveis. Em seguida, Emerson diz que aquele que tem uma "alma de bondade"

> escapa de qualquer conjunto de circunstâncias; enquanto a prosperidade pertence a certa mente, e introduzirá esse poder e essa vitória, que é seu fruto natural, em qualquer ordem de eventos.

Em qualquer circunstância, essa alma é como Houdini no sentido de que nem mesmo o mais sufocante e opressivo conjunto de circunstâncias ou eventos trágicos pode conter ou derrotar seu espírito. Ocorre o oposto. Quão mais arranjada a tentativa de constranger, mais maligno o esforço de diminuir, mais esse espírito é libertado, unido, como é, com uma alma do Justo e do Verdadeiro. Pensemos na fictícia Antígona, nos reais Nelson Mandela, Sojourner Truth, Malala Yousafzai, Edith Cowan, Shirley Colleen Smith, Chjune Sugihara. Sem falar de Sócrates, e menos ainda de quando, ainda vivo, apostou as fichas dele.

Essas pessoas vivem segundo um código moral próprio. Elas sabem que existe o potencial para o bem e para o mal em muito mais do que paramos para reconhecer, e que, por uma circunstância aqui, uma virada acolá, muitos ou até a maioria de nós teria sido muito diferente do que é. Elas se conheciam de cabo a rabo, e, portanto, sentiam pouca compulsão a julgar e rotular os outros de modo pejorativo e estereotipado; ao contrário, tentavam curar quem tinha mazelas de todos os tipos. Elas incorporam as grandes almas exaltadas no 94º soneto de Shakespeare:

> Quem tem poder de magoar e não o faz,
> Que não faz a coisa que mais mostra
> Ele herda, por direito, as graças do céu
> E gasta as riquezas da natureza suas;
> Ele é o senhor e o dono do seu rosto...

Vamos dançar?

"Vamos dançar?", perguntei à minha noiva, Ceci, verdadeira senhora e dona do seu rosto, que herdou por direito as graças do céu, no aniversário de 22 anos do nosso casamento. Ceci e eu estávamos no quintal. Não podendo sair para comemorar, por causa do isolamento da pandemia de coronavírus, criamos um espaço de dança para nós. Uma das nossas músicas preferidas, "Acid", do finado congueiro e líder de banda Ray Barreto, emana do aparelho de som.

Estendi meus braços, e Ceci pôs as mãos dela nas minhas. Eu a puxei para perto. Nossos olhos se encontraram, e o tempo esvaneceu. Era tudo dança e amor. Entre as minhas lembranças mais queridas estão meus pais, quando estavam juntos, dançando. Meu pai era o exibido; minha mãe, a mais elegante e treinada. Juntos, eles se misturavam perfeitamente. Dançar era a salvação, para eles, a cola que os ligava na relação.

De várias maneiras, dançar foi também um elo inquebrável, ao longo dos meus anos junto de Ceci. Quando a conheci, em 1996, ela tinha acabado de viajar de Chiapas, no México, para a Universidade Estadual de Montclair, no norte de Nova Jersey, para pegar o diploma de educação. Dançarina desde a adolescência, embora os estudos acadêmicos fossem intensos, ela conseguia arranjar tempo para viajar para Nova York todo fim de semana e continuar o treinamento na escola Martha Graham. Ela arranjava tempo também para uma aula semanal comigo.

Ceci e eu fizemos nossa primeira aula de dança juntos no outono de 1996, após ver um anúncio postado no quadro de notas do café onde fiz os primeiros Sócrates Cafés. A promessa era de aprender *western swing*, salsa e rumba. Até então, minha relação com a dança tinha sido um tipo de anos 1970 rebelde e sem estilo. Eu demonstrava uma incapacidade notável de aprender até mesmo os passos mais básicos nessas primeiras aulas. Mas a minha frustração era mitigada pelo encorajamento paciente de Ceci, e sua insistência gentil de que ela não poderia ter sonhado com um parceiro melhor. Os movimentos dela eram etéreos, lânguidos. Eu insisti, pratiquei sozinho quando tinha tempo livre. Melhorei. Aprendi a guiar a Ceci. Passei a pensar menos, obtive prática suficiente para me deixar levar no momento, no ritmo.

Ceci estudava filosofia na faculdade, na pulsante Cidade do México. Embora sua tese (numa faculdade de elite como a dela, até quem ainda não se formou escreve teses) fosse sobre filosofias indígenas de educação, ela gostava também de uns pensadores ocidentais e era especialmente aficionada pelo filósofo e crítico social alemão Friedrich Nietzsche – que era devoto da dança. Ela e eu concordamos com o conceito que ele faz da dança, que abrange, como ele coloca em *Crepúsculo dos ídolos*, "dançar com os pés, com ideias, com palavras". Talvez ele mesmo tenha reparado que a dança em si pode ser um questionar, um buscar, uma exploração, um sondar.

A dança, no que tem de mais sublime, para Ceci, é isso mesmo. Aos quinze anos, ela foi uma das poucas entre os candidatos que fizeram testes a serem aceitas na escola Martha Graham. Diversas vezes por semana ela cruzava a fervilhante e extensa Cidade do México, enfrentando sozinha seu arriscado sistema de transporte público, para ir à aula de dança. Nada a impediria de imergir no mundo da dança moderna, do jazz, do balé, para voltar sozinha para casa tarde da noite. Nessa primeira faculdade, Ceci continuou dançando, enquanto equilibrava os exigentes estudos universitários. Ela só se separou da escola Martha Graham por pouco tempo, quando se mudou para Chiapas, em 1994, onde morou e trabalhou como educadora numa comunidade indígena, antes de entrar na segunda graduação.

Meu relacionamento com Ceci começou como uma dança de mentes. Isso foi lá atrás, no fim do verão de 1996, num Sócrates Café que eu conduzi em Montclair, Nova Jersey. Ceci, que tinha acabado de se matricular com bolsa integral num curso de graduação na Universidade Estadual de Montclair, foi a única pessoa que apareceu. Nós nos sentamos, de frente um para o outro, a uma mesa e exploramos a questão "O que é o amor?". Fiquei tão perplexo com a beleza dela que nem sempre prestei atenção às pérolas filosófica que ela partilhava. Quando, meio absorto, eu lhe fiz a mesma pergunta mais de uma vez, ela repetiu a resposta, um modelo de polidez. Ela sabia do que se tratava. Lá pelo meio do nosso *tête-à-tête*, ocorreu-me que, se tudo se desenrolasse do jeito que eu, um romântico incurável, já duvidava que o faria, eu teria tempo suficiente, no futuro, para continuar explorando essa eterna questão com ela.

Nós nos casamos dezoito meses depois. Ceci é a minha Diotima moderna, uma reencarnação da grande professora de Sócrates sobre o amor, um estonteante dervixe de *insights* penetrantes em questões da mente e do coração. Ao longo dos anos, exploramos milhares de questões – algumas apenas entre nós dois, algumas com as milhares de pessoas em todo o mundo que participaram conosco de um Sócrates Café, outras com as nossas duas filhas; Cali, que vive para a dança aérea e veio ao mundo, com a ajuda de uma parteira, exatamente dez anos depois do dia em que Ceci e eu nos conhecemos, e Cybele, nascida em 2013, também com uma parteira, no Hospital Pensilvânia, o hospital mais antigo dos EUA, no Dia da Independência, 2 de julho, e que nunca soube de um ritmo de que não gostasse e no qual não se saísse bem.

Qualquer pessoa que já participou de um Sócrates Café que o valha vivencia uma espécie de dança, um *dó-si-dó* no qual tudo envolvia mãos e corações ligados, de certo modo, circulando e girando em torno de um tema, cirandando em volta dessa ou de outra ideia, dando um mergulho profundo que é também uma prancha que pode lançá-lo em voo livre para lugares até então desconhecidos. A dança é um questionar, um mergulhar espiritual e uma exploração de dimensões para as quais as palavras não bastam. A dança faz de mim melhor parceiro, melhor amante, melhor pai, melhor humano. A dança enfatiza meu romance com a vida e com quem faz parte dela.

Nietzsche caracteriza a dança como "um estado de movimento de êxtase e paz. É a visão de felicidade do artista e do filósofo". Então, ali estávamos eu e Ceci, 23 anos e meio após termos nos conhecido. Minha noiva e eu estávamos para lá de empolgados com a afro-cubana "Acid". Por mais vezes que já tivéssemos dançado essa música, ela não envelhecia jamais – na verdade, ficava mais jovem com a idade. Uma distância era sobreposta, um abismo transposto, dois corações batendo como um só. Tempos e espaços não tinham significado mais.

O pai de Ceci faleceu, aos 74 anos, seis meses antes do meu. Ela ainda sofria com a perda tão dolorosa. Em quase todos os outros países, a negligência, a incompetência médica à qual o pai dela, com quem ela tinha tamanha proximidade, foi submetido teria sido considerada um crime. Ceci começou a fazer práticas budistas depois da morte dele, em parte como forma de lidar com o sofrimento, mas também porque o pai tinha adotado o budismo; isso a fazia sentir-se mais perto dele. O sorriso dela estava efervescente como nunca, mas os olhos mostravam a pontada aguda da dor, uma dor que nunca pode ser totalmente apagada.

Ceci é o ideal de Percy Bysshe Shelley. Ela canaliza o sofrimento, o perdão, o amor e a tolerância de maneiras que fazem de todos nós que estamos em volta dela – nesse círculo no qual existe espaço infinito, melhor, maior, mais alegre – belos e livres.

Eu jamais sonhara que seria amado, que poderia ser amado, como Ceci me ama. Quando chegar a minha vez de encontrar meu criador, se me for concedido um desejo, seria que, qualquer que seja o momento ou o jeito de morrer, ou do que morrerei, que seja nos braços dela.

Dançamos a noite toda. Será que eu precisava mesmo ter viajado pelo mundo todo para aprender mais lições sobre amor e perdão, superação e entendimento? Afinal, eu tenho a Ceci. Eu a valorizo mais do que nunca desde essa minha última viagem. E entendo, de um jeito que nunca tinha entendido, que é esse tipo de conversas intoxicantes, libertadoras, cheias de alma que tive durante essas viagens, e que tive com a Ceci por quase um quarto de século, que em si e por si tornam muito mais possível sofrer, perdoar, amar e tolerar, ser bom, grandioso, feliz, belo e livre.

Nesse momento, eu já não era mais tão levado pela música e o momento, pois que eu era – pois que éramos – o momento, dois seres entrelaçados em ser. Vi meu rosto refletido nos olhos brilhantes de Ceci; ele mostrava, como o dela, uma exuberância de criança, um estado estático que só se pode ter quando você emergiu, com a pessoa que mais ama, do outro lado do desespero e do sofrimento com mais entendimento e alegria.

Até nossa próxima dança, meu amor, minha alma de bondade.